INFILTRADO NA KLAN

RON STALLWORTH

INFILTRADO NA KLAN

Tradução
Jacqueline Damásio Valpassos

SEOMAN

Livro que inspirou o filme.
Título do original: *Black Klansman*.
Copyright © 2014 Ron Stallworth.
Fotos internas pertencentes ao arquivo do autor.
Imagem da capa © 2018 Focus Features LLC. Todos os direitos reservados.
Copyright da edição brasileira © 2018 Editora Pensamento-Cultrix Ltda.
Publicado mediante acordo com Flatiron Books, 175 Fifth Avenue, Nova York, N.Y. 10010.
Texto de acordo com as novas regras ortográficas da língua portuguesa.
1ª edição 2018.
Todos os direitos reservados. Nenhuma parte desta obra pode ser reproduzida ou usada de qualquer forma ou por qualquer meio, eletrônico ou mecânico, inclusive fotocópias, gravações ou sistema de armazenamento em banco de dados, sem permissão por escrito, exceto nos casos de trechos curtos citados em resenhas críticas ou artigos de revistas.

A Editora Seoman não se responsabiliza por eventuais mudanças ocorridas nos endereços convencionais ou eletrônicos citados neste livro.

Editor: Adilson Silva Ramachandra
Editora de texto: Denise de Carvalho Rocha
Gerente editorial: Roseli de S. Ferraz
Produção editorial: Indiara Faria Kayo
Editoração eletrônica: Join Bureau
Revisão: Vivian Miwa Matsushita

Obs.: Este livro não pode ser exportado para Portugal, Angola, Moçambique, Cabo Verde, St. Tomé e Príncipe e Guiné Bissau.

Dados Internacionais de Catalogação na Publicação (CIP)
(Câmara Brasileira do Livro, SP, Brasil)

Stallworth, Ron
 Infiltrado na klan / Ron Stallworth; tradução Jacqueline Damásio Valpassos. – São Paulo: Seoman, 2018.

 Título original: Black klansman.
 ISBN 978-85-5503-081-9

 1. Crimes de ódio – Estados Unidos 2. Estados Unidos – Relações raciais 3. Ku Klux Klan (1915-) 4. Movimentos de supremacia branca – Estados Unidos 5. Operações secretas – Estados Unidos 6. Polícia afro-americana I. Valpassos, Jacqueline Damásio. II. Título.

18-20490   CDD-322.420973

Índices para catálogo sistemático:
1. Revoluções: Ciência política   322.420973
Iolanda Rodrigues Biode – Bibliotecária – CRB-8/10014

Seoman é um selo editorial da Pensamento-Cultrix.
Direitos de tradução para o Brasil adquiridos com exclusividade pela
EDITORA PENSAMENTO-CULTRIX LTDA., que se reserva a
propriedade literária desta tradução.
Rua Dr. Mário Vicente, 368 — 04270-000 — São Paulo, SP
Fone: (11) 2066-9000 — Fax: (11) 2066-9008
http://www.editoraseoman.com.br
E-mail: atendimento@editoraseoman.com.br
Foi feito o depósito legal.

*Para minha esposa, Patsy Terrazas-Stallworth,
e o senhor Elroy Bode*

SUMÁRIO

Nota do Autor   9

1. Um Telefonema da Klan   13

2. Jackie Robinson e os Panteras Negras   19

3. Eu Sou a Voz, Você É o Rosto   45

4. Meu Novo Amigo David   55

5. O Bombeiro e o Fogo (do Inferno)   73

6. Parte da Nossa Posse   93

7. KKKolorado   113

8. Iniciação   131

9. Duke do Colorado   149

10. A Fortaleza das Montanhas Rochosas   165

11. Por Água Abaixo   179

Epílogo   197

Agradecimentos   205

NOTA DO AUTOR

Se um homem negro, auxiliado por um punhado de brancos e judeus bons, decentes, dedicados, de mente aberta e liberais, pode conseguir prevalecer sobre um grupo de racistas brancos, fazendo-os parecer os idiotas ignorantes que realmente são, então imagine o que uma nação de indivíduos que compartilham das mesmas ideias pode conseguir. Tudo o que se segue foi realizado jogando-se por terra as alegações dos supremacistas brancos, em alguns casos, quanto a possuírem elevado grau de instrução, terem mais inteligência e serem muito superiores em todos os aspectos aos negros e judeus, e a qualquer outro indivíduo que eles considerem inferior. Minha investigação sobre a KKK me convenceu de que mais cedo ou mais tarde nós, de fato, *derrotaríamos* aqueles que tentavam rotular minorias com base em falhas pessoais deles próprios — preconceito racial e étnico, fanatismo, preferência religiosa — e na falsa crença de que pessoas negras e outros que não se encaixavam em sua definição de "branco ariano puro" não mereciam respeito, e muito menos serem classificados como "pessoas".

Cada vez que um homem defende um ideal, ou age para melhorar o destino dos outros, ou ataca a injustiça, ele transmite uma pequena onda de esperança.
— Robert Kennedy

A maneira mais comum de as pessoas desistirem de sua força é pensando que não têm nenhuma.
— Alice Walker

1

UM TELEFONEMA DA KLAN

Tudo começou em outubro de 1978. Como detetive da Unidade de Inteligência do Departamento de Polícia de Colorado Springs — o primeiro detetive negro na história do departamento, devo acrescentar —, um dos meus deveres era analisar os dois jornais diários em busca de qualquer indício de atividade subversiva que pudesse ter impacto no bem-estar e segurança de Colorado Springs. É surpreendente o que algumas pessoas anunciam no jornal: prostituição, óbvios esquemas envolvendo dinheiro, esse tipo de coisa na maioria dos casos, mas de vez em quando há algo que de fato se destaca. Enquanto examinava os anúncios classificados, um em particular chamou minha atenção. Dizia:

Ku Klux Klan
Para mais informações, contate:
Caixa Postal 4771
Security, Colorado
80230

Aí estava algo incomum.

O distrito de Security-Widefield era uma área suburbana de moradias planejadas localizada a sudeste de Colorado Springs, perto de duas bases militares principais: Fort Carson e NORAD (North American Aerospace Defense Command — Comando de Defesa Aeroespacial da América do Norte). A comunidade era predominantemente militar e não havia nenhuma atividade conhecida da Ku Klux Klan naquela região.

Então, eu respondi ao anúncio.

Escrevi uma breve mensagem para enviar à caixa postal explicando que eu era um homem branco interessado em obter informações sobre filiação na KKK e em promover a causa da raça branca. Afirmei, em suma, que estava preocupado com os "crioulos* tomando conta de tudo" e que queria mudar isso. Assinei com meu verdadeiro nome, Ron Stallworth, forneci um número de telefone de fachada usado pela polícia, que era uma linha que não estava na lista e não era rastreável, e usei um endereço igualmente de fachada, também impossível de localizar. Coloquei minha mensagem em um envelope e a depositei na caixa de correio.

Por que eu assinei com meu verdadeiro nome a mensagem que iria dar início a uma das mais fascinantes e singulares investigações da minha carreira? Como todos os nossos investigadores disfarçados, eu mantinha duas identidades secretas distintas, com os devidos documentos: carteiras de motorista, cartões de crédito etc. Então por que tive esse lapso de julgamento e cometi um erro tão tolo?

A resposta simples é que eu não estava pensando em uma futura investigação quando enviei a mensagem. Buscava por uma resposta, esperando que ela viesse por escrito, na forma de um panfleto ou brochura de algum tipo. Afinal de contas, eu não

---

* No original, *niggers*. (N.T.)

acreditava que minha ação provocaria algo mais do que uma mera resposta padrão enviada por correio de forma automática. Achava que a descarada publicação de um anúncio racista tão sedicioso não passava de uma débil tentativa de pregar uma peça e, ao respondê-la, eu veria até que ponto a brincadeira iria.

Duas semanas depois, em 1º de novembro de 1978, a linha telefônica de fachada tocou. Atendi à ligação e uma voz disse:

— Posso falar com Ron Stallworth?

— É ele quem está falando — respondi.

— Oi. Meu nome é Ken O'Dell. Eu sou o organizador local da divisão de Colorado Springs da KKK. Recebi sua mensagem pelo correio.

Ah, droga, o que eu faço agora?, pensei.

— Certo — eu disse, tentando ganhar tempo enquanto pegava uma caneta e um bloco de anotações.

— Eu li o que escreveu e estou me perguntando: por que você gostaria de se juntar à nossa causa?

Por que eu quero me juntar à Klan? Uma pergunta que eu realmente nunca achei que fossem fazer para mim, e senti vontade de dizer: "Bem, eu quero obter o máximo de informação possível de vocês, Ken, para que eu possa destruir a Klan e tudo o que ela representa". Mas não foi o que falei. Em vez disso, respirei fundo e pensei no que alguém querendo se juntar à Klan na verdade diria.

Por ter sido chamado de crioulo muitas vezes na minha vida, desde pequenos confrontos no cotidiano que acabaram se transformando em feias discussões, até ocasiões em que, estando eu de serviço, multava alguém ou realizava uma prisão, eu sabia que, quando uma pessoa branca dizia isso para mim, toda a dinâmica mudava. Ao dizer "crioulo", ele me informava que achava que era intrinsecamente melhor do que eu. Essa palavra era uma forma de reivindicar uma espécie de falso poder. Esse é o linguajar do ódio, e agora, tendo que fingir ser um supremacista branco, eu sabia usar esse linguajar no sentido inverso.

— Bom, eu odeio crioulos, judeus, mexicanos, cucarachas, chinas e qualquer outra pessoa que não tenha sangue ariano branco puro em suas veias — afirmei, e com essas palavras eu sabia que minha investigação secreta havia começado.

Prossegui:

— Não faz muito tempo, minha irmã ficou noiva de um crioulo e, toda vez que penso nele colocando as mãos pretas imundas no corpo branco e imaculado dela, fico revoltado e com o estômago embrulhado. Quero me juntar à Klan para poder impedir futuros ultrajes à raça branca.

Ken decerto entusiasmou-se naquele momento, sua voz suavizando e assumindo um tom agradável e simpático. Ele se identificou, dizendo que era um soldado de Fort Carson, que vivia em Security com a esposa.

— E o que a Klan planeja fazer exatamente? — questionei, com a caneta a postos.

— Temos muitos planos. Com o feriado de Natal se aproximando, estamos organizando um "Natal Branco" para famílias brancas carentes. Nada de crioulos — disse Ken.

Eles estavam buscando doações em dinheiro por meio da caixa postal, e A Organização — como se referiu à Klan, evitando designá-la — mantinha uma conta bancária em nome de "White People, Org", em um banco em Security.

— Também estamos planejando queimar quatro cruzes. Para anunciar a nossa presença. Ainda não sabemos exatamente quando, mas é o que queremos fazer. — Minha caneta se deteve sobre as minhas anotações quando ouvi isso. Quatro queimas aqui em Colorado Springs? Terrorismo, puro e simples.

Ken continuou explicando que a adesão à Organização custaria dez dólares pelo restante do ano, trinta dólares no ano seguinte, e eu teria que comprar meu próprio capuz e túnica.

— Quando podemos nos encontrar? — ele quis saber.

Merda, pensei, *como vou fazer para me encontrar com esse cara?*

— Ah, vou estar ocupado a semana toda — inventei.

— Bem, então, que tal na próxima quinta-feira à noite? No Kwik Inn, você conhece?

— Sim — respondi.

— Sete horas. Um cara branco, alto, magro, de aparência hippie, com um bigode de Fu Manchu e fumando um charuto vai estar do lado de fora do bar. Ele vai recebê-lo e, então, se tudo parecer ok, vai levá-lo até mim — explicou Ken.

— Tudo bem — respondi, anotando tudo com rapidez no meu bloco.

— Como vamos reconhecê-lo? — Ken questionou.

A mesma pergunta que eu vinha fazendo a mim mesmo desde que atendi à ligação. Como eu, um policial negro, poderia me infiltrar entre supremacistas brancos? Pensei logo em Chuck, um policial disfarçado da Narcóticos com quem eu trabalhava, que tinha mais ou menos a minha altura e constituição física.

— Tenho cerca de 1,75 metro de altura e oitenta quilos. Cabelos castanhos e barba — descrevi.

— Está bem, então. Foi bom conversar com você, Ron. Você é exatamente o tipo de pessoa que estamos procurando. Estou ansioso para conhecê-lo. — E com isso, a linha ficou muda.

Respirei fundo e pensei: *Que diabos vou fazer agora?*

2

JACKIE ROBINSON E OS PANTERAS NEGRAS

Bem, o que eu tinha que fazer era iniciar uma investigação secreta da Klan e seus planos de crescer na minha cidade. Eu vinha trabalhando como investigador disfarçado havia quatro anos e tinha conduzido muitos casos, mas esse seria diferente, para dizer o mínimo.

Eu não cresci querendo ser policial. Na verdade, sempre desejei ser professor de Educação Física do ensino médio, e o único jeito de fazer faculdade era tornar-me cadete do Departamento de Polícia de Colorado Springs.

Fui contratado pela cidade de Colorado Springs em 13 de novembro de 1972, como cadete da polícia, aos 19 anos de idade. O programa de cadetes foi criado para jovens que acabavam de se formar no ensino médio, com idade entre 17 e 19 anos, que almejassem uma carreira como agentes da lei. Tais jovens eram submetidos à mesma bateria de testes que os candidatos comuns da polícia e obrigados a passar neles com a mesma pontuação porque estavam, em essência, em treinamento para se tornar oficiais. Uma vez admitidos no programa, os jovens candidatos recebiam um salário inicial de 5,25 dólares por hora, muito acima do salário mínimo, que era de 1,60 dólar. Os deveres incluíam frequentar a Academia de Polícia, além de desempenhar funções de apoio executadas por civis dentro do departamento, como processar registros de antecedentes criminais e aplicar multas para veículos estacionados de forma irregular.

Antes de eu entrar, o programa de cadetes já integrava o departamento de polícia havia aproximadamente quatro anos. Seu objetivo específico era tentar encorajar o recrutamento de minorias, em especial negros, para as suas fileiras de agentes da lei. Nesse sentido, o programa vinha sendo um fracasso, porque até o momento da minha contratação, ele nunca havia empregado negros. Recrutara um porto-riquenho e dois mexicanos, mas todas as outras contratações do programa haviam sido de brancos.

Ainda me lembro com nitidez da minha entrevista de emprego. Sentei-me diante da mesa do chefe de polícia adjunto, encarregado dos recursos humanos (um homem branco), ocupada também pelo capitão da Divisão de Patrulha uniformizada (um homem branco) e James Woods, que era o diretor de recursos humanos da cidade de Colorado Springs (um homem negro e funcionário civil).

O senhor Woods mostrou especial interesse em mim. Ele tinha um jeito de ser tranquilo e sorriso fácil, o que contrastava com o seu fervor em provocar mudanças num sistema cuja estrutura, ele sabia, era parcial e preconceituosa para com os negros. Estava louco para "consertar" esse problema sistêmico e foi logo apontando os obstáculos que eu iria enfrentar.

— Você tem consciência de que não há negros neste departamento? Aqui só tem branquelo azedo que não se mistura. Você vai ter que encarar muita coisa para se sair bem. Essas pessoas só falam com negros se tiver de colocá-los na cadeia. Você teria algum problema em interagir num ambiente só de brancos?

— Não. Eu já fui ofendido antes. Posso lidar com isso.

— Você conhece Jackie Robinson? — ele perguntou.

— Sim.

— Bem, o segredo do êxito de Jackie foi que ele optou por não revidar. Enfrentou o racismo com o silêncio. Acha que pode fazer isso?

— Sim, eu posso. — Olhei para Woods direto nos olhos quando disse isso, com o queixo erguido. Eu me conhecia. Conhecia a minha personalidade. Sabia o que era ser xingado, encarado com desconfiança, até mesmo com ódio. Não sou do tipo que fica de boca fechada quando alguém me provoca, mas eu sabia que poderia escolher com cuidado o momento de confrontar.

Ele me fez uma série de perguntas sobre a minha criação na comunidade de El Paso, Texas, na fronteira com o México; em particular, como era ser um jovem negro vivendo num estado do Sul durante o auge do movimento pelos direitos civis dos anos 1960. A minha experiência como negro crescendo naquele período foi a de que El Paso era uma cidade sulista muito liberal. Nós não vivenciamos o volume de discursos ou violência que estava ocorrendo no extremo Sul, contra o movimento pelos direitos civis. Só o que nos chegava era aquilo que assistíamos nos noticiários da TV. Nesse aspecto, o movimento dos direitos civis para mim não era algo que fazia parte do meu mundo. Era um programa de televisão. Minha vida real e cotidiana era uma mistura multicultural de mexicanos, negros e brancos. Havia uma grande presença militar que era diversificada. Era uma espécie de cantinho à parte do país, o que não significa dizer que estivesse imune à intolerância racial. Eu nasci em Chicago, e a ideia de minha mãe de se mudar com nossa família para El Paso foi a melhor decisão que ela tomou, já que a cidade estava muito distante da pobreza, das gangues e dos conflitos da região de South Side de Chicago, onde eu atingiria a maioridade se ela não tivesse saído de lá. Minha vida inteira teria sido diferente.

A entrevista prosseguiu e Woods deixou os outros começarem a me bombardear com perguntas. Meu estilo de vida pessoal foi bastante questionado: eu era mulherengo? Não era. Gostava de frequentar clubes noturnos? Não era muito ativo nesse cenário. Era alcoólatra? Eu raramente me permitia beber. Usava drogas? Apenas medicamentos prescritos por um médico. Eu nunca havia usado drogas ilícitas como maconha, o que, para alguém da minha idade durante esse período cultural, era algo praticamente inédito, e minha resposta foi contestada com vigor. Já estivera envolvido em algo que pudesse envergonhar o departamento? Nunca.

À medida que a entrevista progredia, as perguntas foram se tornando mais incisivas, incluindo o uso do termo pejorativo "crioulo", e com especulações sobre como eu reagiria a várias situações em que a palavra fosse usada, em referência a mim, pelo pessoal do departamento ou cidadãos, durante o cumprimento de minhas funções como policial.

Eu conseguiria refrear a língua e o instinto de atacar aqueles que, a meu ver, passassem dos limites com relação a isso? E quanto à minha lealdade ao departamento? Sendo o único negro ali, uma vez que a notícia de que eu estava trabalhando para o departamento se espalhasse para a comunidade negra, era provável que seriam empreendidos esforços para me comprometer, apelando para o meu senso de "comunidade" com meus "irmãos negros". Será que eu conseguiria — o grupo de entrevistadores questionava — resistir a essa pressão?

Tais perguntas são racistas quando vistas em retrospectiva e à luz das leis de hoje que regulamentam as entrevistas de emprego. Entretanto, isso foi em 1972, mal haviam se passado três anos desde que as principais cidades dos Estados Unidos tinham "pegado fogo" com os distúrbios raciais sobre a questão dos direitos civis e da igualdade para os cidadãos negros norte-americanos. Apesar de quase extinto, o Partido dos Panteras Negras, com seus slogans retóricos salpicados de racismo, tais como "Black Power" (Poder Negro), "Kill Whitey" (Morte aos branquelos) e "Revolution Has Come, Time to Pick Up the Gun" (A Revolução chegou, é hora de pegar em armas), ainda era uma força social a ser levada em consideração. Para um departamento que havia sido todo composto por "brancos imaculados"* durante grande parte de sua história e não havia tido experiência com negros, exceto num contexto extremamente negativo, tal questionamento, sob seu ponto de vista, era considerado natural e necessário.

Perguntaram-me várias vezes se eu aguentaria ficar na berlinda o tempo todo — no caso de eu ser contratado — durante o período de experiência de um ano que se seguiria imediatamente, sem arriscar o meu emprego por retaliar meus algozes.

Por várias vezes, perguntaram, de uma ou de outra maneira, se eu conseguiria reagir da mesma forma que Jackie Robinson, que *não* lutou contra aqueles que o provocavam com insultos raciais e agressões físicas durante seu primeiro ano nas grandes ligas. Poderia eu, eles questionaram, dar o exemplo de que um homem negro era tão capacitado a usar o uniforme do Departamento de Polícia de Colorado Springs quanto um homem branco, e que um "homem de cor" merecia andar entre eles como igual?

---

* *Lily white* no original. Termo que pode ser traduzido como "branco imaculado", mas que possui uma conotação pejorativa, significando a segregação de outras culturas que não a branca por meio de regras ou convenções sociais que excluem ou desencorajam a inclusão de minorias. (N. T.)

Minhas respostas a essas perguntas foram que sim, que eu poderia fazer tudo o que o trabalho exigia de mim e, ao mesmo tempo, ficaria honrado em fazê-lo.

O que eu não contei a eles foi que, quando criança, no período em que cresci, na década de 1960, tínhamos que literalmente lutar para sermos tratados com respeito. Fui criado pela minha mãe para fazer o oposto do que o DPCS estava me pedindo. Minha mãe me dizia que, se alguém me chamasse de crioulo, era melhor eu "dar um murro na boca" do sujeito e ensiná-lo a nos tratar da maneira correta. Quando pequeno, entrei em três brigas com outras crianças que haviam me chamado de crioulo.

Todas essas brigas resultaram em alguns problemas com a escola, e eu tive que falar sobre elas com minha mãe. Ela não se zangou comigo, longe disso, mas me perguntou: "Você deu uma sova neles?". Eu sempre dizia que sim, embora em duas dessas vezes eu estivesse mentindo. Pode ser até que tenha sido eu quem tomou "a sova", mas nenhuma daquelas crianças voltou a me chamar de crioulo.

Eu devo ter respondido às perguntas dos policiais de um modo que os agradou, porque fui admitido como cadete em 13 de novembro de 1972. Minha primeira tarefa foi o empolgante trabalho do turno da noite no Departamento de Identificação e Registros, arquivando registros e lidando com montanhas de papelada. Mas primeiro eu tive que receber o uniforme.

Meu uniforme de cadete consistia em calças marrom-escuras e uma camisa marrom-clara. Só isso. O uniforme de policial era composto por calças azul-marinho e uma camisa azul-clara. Ambas as camisas ostentavam o logotipo de Colorado Springs e, o mais importante, éramos obrigados a usar um quepe de policial.

Fui encaminhado ao tenente responsável pelo equipamento e pela requisição de material, que era o responsável por fornecer a todos os funcionários recém-admitidos seus uniformes e equipamentos.

Naquela época, eu usava o cabelo em estilo levemente afro e o departamento não tinha experiência em lidar com alguém usando esse penteado. O tal tenente mediu a minha cabeça, mas não levou em conta a quantidade de cabelo no topo e nas laterais. Ele pressionou de propósito a fita métrica o mais justo que pôde contra a minha pele, calculando um tamanho de quepe errado, quase dois números menor. Quando ele o entregou para mim e eu o experimentei, eu disse que era muito pequeno e mostrei como ficava na minha cabeça. O quepe literalmente ficou pousado no topo do meu cabelo afro, porque eu não conseguia puxá-lo para baixo até as laterais da cabeça. Eu parecia um daqueles macaquinhos de desenho animado que usam um chapéu vários tamanhos menor do que sua cabeça, divertindo a multidão e pedindo dinheiro enquanto o tocador de realejo reproduz a música.

— Você tem duas opções: usar esse quepe ou cortar o cabelo — ele falou para mim, e então riu.

Decidi rebater sua arrogância sarcástica pegando o quepe sem mais contestação.

A política do departamento estabelecia que sempre que alguém do contingente uniformizado deixava o prédio, era obrigado a usar o quepe. Começando a trabalhar logo no dia seguinte, na hora do almoço deixei o departamento de polícia para percorrer as ruas do centro em busca de um restaurante. Coloquei o meu quepe "quase dois números menor" no topo do meu cabelo afro, ergui a cabeça e orgulhosamente caminhei pelas ruas da cidade com meu uniforme de cadete da polícia, parecendo um perfeito palhaço, acolhendo os olhares de estranheza dos transeuntes que me encaravam e os dedos apontados para mim inclinando meu quepe respeitosamente e dizendo "Como vai?".

Isso durou cerca de um mês, até que um dia o chefe de polícia me viu voltar de um dos meus intervalos para o almoço.

— Por que você está usando o seu quepe desse jeito? — ele perguntou.

— O tenente recusou-se a me dar um em que coubessem a minha cabeça e o meu penteado — respondi.

O chefe mandou que eu notificasse o tenente de que deveria me fornecer de imediato um quepe que se ajustasse de forma adequada à minha cabeça e que isso era uma "ordem direta". Repassei ao tenente aquela mensagem com um grande sorriso estampado no rosto. Ele não ficou muito feliz nem com ela nem com o meu evidente prazer em repassá-la. Perguntou-me qual era o tamanho de quepe que eu precisava. Respondi a ele que não sabia. Furioso, ele foi buscar para mim dois quepes diferentes, de tamanhos maiores, e eu finalmente pude escolher um que se encaixava na minha cabeça com corte afro. Eu o havia vencido em seu próprio jogo. Jackie Robinson teria ficado orgulhoso, acho.

Houve também outro incidente que se destaca nas lembranças dos meus primeiros dias como cadete e que é doloroso rememorar. Ocorreu durante um turno da madrugada no Departamento de Registros. John, um técnico da perícia criminal, branco e idoso, estava bem-humorado e um tanto travesso enquanto conversávamos sobre as nossas celebridades prediletas e mais atraentes. Ele descreveu o encontro de seus sonhos e eu, o meu. Ficamos nisso, indo de um para o outro, e eu mencionei algumas mulheres brancas que receberam a sua aprovação. Então, citei a multitalentosa, voluptuosa e sensual Lola Falana, na época uma das artistas mais populares da cena de Las Vegas. John reconheceu o nome, e o sorriso que dominava o seu rosto enquanto batíamos papo desapareceu de imediato. Sua resposta me chocou porque ele disse que não podia compreender a minha escolha de Falana como "bela", pois ele não sabia qual era a beleza de uma mulher "de cor". Passados todos esses anos, eu me lembro com clareza da declaração seguinte de John para mim: "Eu não sei como *vocês* definem a beleza numa mulher". Ele disse isso com muita naturalidade, sem qualquer maldade premeditada e evidente. Afirmou que nunca tinha olhado para mulheres negras em termos de atração física e, portanto, descrever Lola Falana como "bela" era algo que ele não conseguia assimilar ou entender como quer que fosse.

Eu fiquei estupefato, para dizer o mínimo. Aquele homem simpático e idoso havia, sem saber e sem querer, desferido um tapa na minha cara com sua declaração. Na minha maneira inocente de ver o mundo aos 19 anos, uma mulher atraente era, bem... uma mulher atraente, independentemente da cor da pele. Se ela tinha olhos grandes e sedutores, um corpo esbelto e algo nela que era provocante e sensual — assim como Lola Falana —, não importava se ela fosse negra, branca ou de qualquer outra cor do arco-íris. Meu relacionamento com John, um homem que eu ansiava ver todos os dias no trabalho, nunca mais foi o mesmo.

Foi durante o meu trabalho no Departamento de Registros que encontrei pela primeira vez Arthur, o sargento Jim e os outros membros da Unidade de Narcóticos. Chuck, o homem que viria a ser o meu dublê na investigação da Ku Klux Klan, ainda não havia se juntado ao departamento de polícia nessa época. O escritório da divisão de Narcóticos ficava localizado no porão do departamento de polícia, e eles iam até o escritório situado no primeiro andar do Departamento de Registros para solicitar fichas criminais de suspeitos que estavam investigando.

Desde o início, fiquei intrigado e fascinado por esses indivíduos de cabelos compridos e descuidados na aparência, "hippies" como eram respeitosamente chamados por todos no departamento. Foi-me dito logo de cara para *nunca* reconhecer sua identidade em público, a menos que eles reconhecessem você primeiro, porque eles poderiam estar atuando numa operação sob disfarce e o reconhecimento poderia pôr em risco a investigação e colocar a vida deles em perigo.

Com seus cabelos longos, barbas e roupas à paisana desleixadas, eles mais pareciam bandidos, mas portavam armas e aplicavam a lei como os mocinhos. Eu queria ser um deles.

Calculando por baixo, eu ainda teria que esperar pelo menos uns quatro anos antes que pudesse nutrir a esperança de ser considerado para um cargo de detetive na Unidade de Narcóticos, e isso apenas na hipótese de que houvesse uma vaga. E havia ainda um último e importante obstáculo em meu caminho: nunca antes na história do Departamento de Polícia de Colorado Springs houvera um detetive negro.

Depois de um tempo, os detetives da Narcóticos se acostumaram com a minha presença no Departamento de Registros e, então, comecei a puxar conversa com eles — em particular com Arthur — sobre a mecânica de ser um policial infiltrado. Eu os questionava sobre cada nuance que se possa imaginar quando vinham à minha mesa para pedir registros de histórico criminal. Perguntava sobre a linguagem das ruas, as gírias para drogas e as faixas de preço em várias categorias do que era comercializado por lá, como armas, drogas, carros, prostitutas... Eu queria saber como deveria reagir num cenário específico se algo fora do corriqueiro fosse dito. Se ouvisse uma referência a drogas num filme, mais tarde eu questionava um deles sobre a veracidade dela no uso prático. Num curto período, enchi bastante o saco aos olhos deles, mas, ao fazer isso, consegui algo muito mais tangível e importante — eu estava começando a ser notado pelos membros da rede do pessoal "gente fina".

Não era o suficiente, no entanto, que eu tivesse chamado a atenção da Unidade de Narcóticos com minhas indagações juvenis, persistentes e entusiasmadas a respeito de seu trabalho. O principal membro do pessoal "gente fina" cuja atenção eu precisava conquistar era Arthur, então sargento, o chefe da Unidade de Narcóticos e aquele que eu enxergava como o meu "Moisés" liderando a travessia para a "terra prometida".

Eu enchia os investigadores da Unidade de Narcóticos com perguntas sobre os aspectos do dia a dia do trabalho; Arthur também era alvo delas, acompanhadas com um enfático "Me faça um agente da Narcóticos!", sempre que o via na delegacia.

A resposta dele não variava: ele sorria ou soltava uma gostosa gargalhada, balançava a cabeça, negando, e ia tratar de seus assuntos.

Além de encher o saco dos agentes da Narcóticos, eu me apaixonei bem rápido por ser cadete, pelo trabalho duro e tudo o mais, e meu sonho de virar professor de educação física do ensino médio foi sendo deixado de lado. Eu adorava vestir o uniforme todos os dias. Adorava a sensação de fazer parte de uma equipe. Adorava a interação com o público (embora talvez eles nem sempre gostassem de interagir comigo quando eu lhes aplicava multas de estacionamento). Eu adorava até mesmo arquivar documentos e buscar registros para os outros detetives. Era um ambiente inédito para mim, na medida em que eu era uma representação visível da cidade, e tinha que aprender a arte de interagir com todo tipo de gente. Saber lidar com as pessoas. Uma coisa é um adolescente trabalhar num restaurante fast-food, outra é ter responsabilidades que podem afetar a vida dos outros. Isso me fez amadurecer bem rápido.

Quando eu estava trabalhando na fiscalização de veículos estacionados de forma irregular, às vezes as pessoas ficavam furiosas — me xingavam, gritavam comigo e eu tive que aprender a me manter firme. Na verdade, para ser sincero, é provável que eu ficasse mais magoado se, ao multar alguém, o indivíduo me dissesse que eu não era um policial de verdade do que eu ficaria se ele levasse sua raiva para o lado racial. Foi nessa época que atingi a maioridade. Aprendi o que é necessário para ser tanto um policial como um homem.

Em 18 de junho de 1974, em meu vigésimo primeiro aniversário, fui admitido como policial da cidade de Colorado Springs, o primeiro negro a se formar no contingente do programa de Cadetes de Polícia. Dizer que a sensação foi boa não faz jus à verdade. Eu havia feito história em Colorado Springs e sabia que o que quer que estivesse à minha frente seria ao mesmo tempo gratificante e emocionante.

Mas a cerimônia não transcorreu sem contratempos. No fundo, eu sempre soube que era um pouco "rebelde". Na minha cerimônia de juramento, o outro candidato admitido, Ralph Sanchez, apresentou-se diante do prefeito de Colorado Springs vestindo um belo terno e gravata com uma camisa preta social novinha em folha e sapatos pretos lustrosos. Eu, por outro lado, usava um belo par de calças muito bem passado (eu passava a ferro as minhas próprias roupas — muito bem engomadas — desde o ensino fundamental), com um pulôver escuro e uma jaqueta de meia-estação. Eu não gostava de ternos e gravatas, nunca gostei de ternos e gravatas, e não haviam me dito para usá-los. As orientações que me foram passadas em relação ao meu traje para a cerimônia eram para que eu fosse "bem-vestido" e, pelos meus padrões, eu estava "bem-vestido". Além disso, na minha cabeça eu tinha passado em todos os testes necessários e agora fazia parte do quadro de funcionários do DPCS. Eu não precisava usar terno e gravata para impressionar o prefeito de Colorado Springs ou qualquer outra pessoa que estivesse presente na cerimônia. Além do prefeito, assistiam à solenidade apenas os três membros da banca de entrevistadores. Minha mãe estava trabalhando e não conseguiu tirar uma folga para comparecer.

Essa preocupação com a aparência e a conformidade às "normas" do DPCS que Ralph exibiu desde o comecinho já era um prenúncio das trajetórias que ele e eu seguiríamos na carreira. O que começou como uma amizade entre nós por causa de nossos esforços mútuos na missão de nos tornarmos cadetes da polícia azedou dentro de um ano quando ele, sendo seis meses mais velho, formou-se nas fileiras da Divisão de Patrulha uniformizada mais cedo e rapidamente desenvolveu uma postura de que ele era melhor do que eu. Ele achava que agora era meu superior e insistia para que o tratasse com a deferência que eu era incapaz de mostrar. Ele se tornou um "patrulheiro modelo", o que nós do departamento chamávamos de "Lambe-botas" ou, em um termo mais vulgar, um "Puxa-saco". Estava sempre disposto a proceder de forma servil para com aqueles em posição de ajudá-lo a avançar em seus objetivos pessoais. Ralph sempre aderiu ao protocolo departamental, nunca cruzando a linha ou mesmo chegando próximo dela. Fazê-lo, em sua limitada visão de mundo, seria arriscar irritar aqueles ativos humanos valiosos que poderiam levar seus objetivos pessoais/profissionais ao próximo nível, de modo que não se podia esperar que Ralph ultrapassasse os limites. Essa atitude não o levou a lugar nenhum, já que ele não era querido e era menosprezado por seus colegas dentro do departamento. Mas, seis meses depois de se tornar oficial do DPCS trajando seu terno e gravata, Ralph fez algo realmente terrível.

Como patrulheiro, Ralph atirou e matou um adolescente, um notório ladrão, em plena luz do dia. Ralph alegou que o garoto estava armado e apontou-lhe a arma enquanto fugia da cena de um dos seus assaltos. O problema com a história de Ralph era que o adolescente não tinha uma arma com ele. Foi apenas graças à magistral lábia por parte do promotor distrital do condado de El Paso que Ralph sobreviveu à investigação sobre o tiroteio diante do grande júri. Ele manteve sua posição como policial; no entanto, sua credibilidade entre seus pares sofreu significativamente após o incidente. Ele continuou a desempenhar o seu papel de "Lambe-botas" na esperança de ir além das fileiras uniformizadas, mas continuou a ser ignorado por aqueles que estavam no poder.

Embora no fundo eu fosse um rebelde e tivesse uma personalidade não conformista, ainda assim eu era esperto o bastante para saber que, no que diz respeito à obediência às tendências estabelecidas, era necessário fazer certas concessões que me beneficiariam pessoalmente. Em outras palavras, escolhia os meus momentos para desafiar "o sistema" e descobri até onde eu poderia ultrapassar os limites. Esse lance de ficar preso à rigidez do protocolo oficial quanto ao uso do uniforme policial e outros acessórios não era para mim.

Não é para me gabar, mas eu ficava muito bem de uniforme; apenas não gostava de usá-lo e não queria fazer carreira como policial. Observar os agentes da Narcóticos que vinham buscar os registros no meu escritório foi a semente que germinou minha aspiração profissional. Tornar-me um investigador disfarçado da Narcóticos, alguém que parecia um cidadão comum, mas portava uma arma e um distintivo e tinha a autoridade da lei por trás de si, tornou-se a minha vocação, o meu propósito e orientação profissionais. Daquele ponto em diante, todos os meus momentos de vigília foram dedicados a tentar tornar isso uma realidade.

Imediatamente após minha cerimônia de juramento e de eu receber minha licença formal, fui direto à sala de Arthur e mostrei a ele meu novo certificado de funcionário municipal e o cartão de identificação do departamento, que atestavam o meu *status* de policial de pleno direito já havia alguns minutos. Repeti então meu irritante bordão:

— Agora que sou um policial, você pode me tornar um agente da Narcóticos?

Ele riu da minha persistência audaciosa e respondeu:

— Você precisa amargar pelo menos dois anos de uniforme antes de ser considerado para o posto. São as regras.

Mal sabia eu que a minha sorte mudaria em muito menos tempo.

Durante dez meses, fui patrulheiro: aplicava multas de trânsito, continha bêbados em público, investigava assaltos, roubos, brigas domésticas etc. Não era exatamente o que você encontraria num seriado policial de TV, mas para mim era tudo novo e excitante. Toda vez que o via, eu ainda gritava para Arthur o meu bordão "me faça um agente da Narcóticos", e um dia recebi dele mais do que um sorriso e uma sacudida de cabeça.

Naquele dia, Arthur me perguntou:

— Você gostaria de trabalhar numa missão secreta conosco, Ron?

Como não é difícil de imaginar, não titubeei.

— Sim!

— É o Stokely Carmichael. O líder dos Panteras Negras está na cidade para discursar. Estamos preocupados com o impacto que ele pode causar. O que ele poderia dizer. Precisamos de uma pessoa negra para se infiltrar, porque nossos caras brancos não se encaixariam muito bem.

Stokely Carmichael, mais tarde conhecido como Kwame Ture, havia sido primeiro-ministro do Partido dos Panteras Negras e era um icônico e contemporâneo membro do panteão de ativistas pelos direitos civis que incluía Martin Luther King Jr. e Malcolm X.

Carmichael pertencia ao SNCC (Student Nonviolent Coordinating Committee — Comitê Coordenador Estudantil Não Violento), do qual mais tarde tornou-se líder, que organizava protestos pacíficos em empresas de propriedade de brancos que se recusavam a empregar cidadãos negros no Sul. Em geral, é a ele que se credita a cunhagem, em 1966, da expressão "Black Power" (Poder Negro) — o clamor revolucionário do punho fechado erguido e da batida no peito pelo empoderamento dos negros. Os protestos associados ao movimento "Black Lives Matter" (Vidas de Negros Importam) são descendentes diretos da mensagem de Carmichael.

Arthur me explicou que Stokely havia sido contratado para discursar em um clube chamado Bell's Nightingale. O Nightingale era frequentado por negros, com dança e música ao vivo até altas horas. O Bell's ficava na parte central da cidade — bem ao lado da via principal.

Nós tínhamos duas boates negras em Colorado Springs (o Bell's e o Cotton Club), e elas eram populares por si sós. O Duncan's Cotton Club era conhecido como um ponto de encontro para cafetões e prostitutas — na função de policiais, sempre nos disseram para ficar de olho no Cotton Club, em especial no dia do pagamento dos soldados. O Bell's não ficava no trecho principal do centro da cidade, mas numa rua lateral, de modo que o tráfego de má reputação era menos ostensivo, por assim dizer.

Embora o discurso de Stokely fosse aberto ao público, ingressos foram postos à venda por um preço razoável e eram requeridos para a admissão no local.

Presumia-se que a maior parte dos melhores cidadãos negros de Colorado Springs, assim como seus jovens revolucionários, aparecesse em peso, esperando deleitar-se na aura febril antibrancos/pró-negros de Stokely e saborear sua glória passada, quando suas palavras provocaram temor no coração e mente dos elementos mais elevados da estrutura de poder político branco da América.

Para o departamento de polícia, o resultado potencial era imprevisível, e os meus superiores ficaram tão preocupados que me procuraram depois de eu passar anos suplicando por uma chance de atuar como agente disfarçado.

Agora era a minha chance de provar meu entusiasmo profissional a eles, e seria contra um dos principais líderes do movimento dos direitos civis, um homem que eu, quando era adolescente, tinha visto várias vezes no noticiário noturno desafiando o sistema e confrontando de modo provocador as forças que eu agora representava.

O departamento ainda temia que a capacidade retórica de persuasão de Stokely fosse bastante formidável, a ponto de desejarem alguém "de dentro" observando a performance de Stokely e a resposta do público às suas palavras. Estavam preocupados que a mensagem dele ressoasse de tal forma que pudesse reavivar o fervor emocional das massas negras locais e possivelmente levar a uma resposta violenta. Embora isso nunca tenha sido mencionado, eu sabia que Arthur e a alta cúpula do departamento estavam preocupados que Stokely pudesse inflamar outra cidade — a nossa cidade — de modo muito parecido com os tumultos de 1967. Minha tarefa era monitorar seu discurso, avaliar a reação do público e relatar os possíveis procedimentos que o departamento deveria tomar para prevenir qualquer problema.

Na noite do discurso, eu me apresentei no escritório da Unidade de Narcóticos vestido com roupas informais, adequadas para uma noitada numa casa noturna. Eu usava um paletó esporte com calças boca de sino. Precisei usar um paletó para esconder minha arma. Colarinho aberto por cima da lapela do paletó — muito ao estilo de *Os Embalos de Sábado à Noite*.

Enquanto prendiam com fita no meu corpo um transmissor sem fio, a fim de que policiais de vigilância que me davam cobertura pudessem ouvir o meu lado da conversa, eu ia sendo bombardeado por vários membros da unidade com cenários hipotéticos, que foi o meu curso intensivo de serviço secreto.

— E se o suspeito lhe oferecer cocaína para cheirar, como você deve reagir?

— Resposta: não aceite. Diga que você não está no clima agora, mas agradeça. Relaxe, mas pergunte quem está vendendo. Se pudermos fazer uma apreensão de drogas mais tarde, melhor ainda.

— E se te chamarem para fumar um baseado, como você deve reagir?

— Resposta: igual à sua resposta para a cocaína.

— E se alguém puxar uma arma para você, como você deve reagir?

— Resposta: isso é um pouco mais complicado. A principal coisa que você precisa lembrar sempre, se alguém sacar uma arma para você, o que aconteceu comigo em algumas ocasiões, é que você está usando um grampo. Os policiais estão ouvindo você e você não está sozinho. Comece a se comunicar com os policiais. Diga ao seu agressor, se puder, "Ah, essa arma que você apontou para o meu peito é interessante. Que tipo de arma é? Uma *blue steel* Magnum com seis balas?". Assim você descreve para seus ouvintes que uma arma entrou em cena, está sendo apontada na sua direção e você está com problemas. Apenas como último recurso você deve tentar resolver sozinho. Fique calmo, a ajuda está a caminho.

Outros policiais estavam me ensinando sobre os vários preços para diferentes quantidades de drogas e me dando um curso intensivo sobre as gírias do submundo das drogas. Era óbvio que os agentes estavam receosos por um irmão em armas inexperiente entrar num ambiente desconhecido.

Enquanto isso, Arthur estava contando cem dólares da verba oficial da cidade e registrando os números de série para o caso de uma transação de drogas ocorrer, o que poderia resultar numa prisão. Depois de passar por esse ritual, recebi um recibo para assinar, transferindo o dinheiro para minha custódia oficial e me responsabilizando por seu gasto e/ou devolução.

Estava sofrendo uma enorme sobrecarga sensorial, o que, para mim, era muito estimulante. Eu era uma verdadeira esponja humana, absorvendo toda informação que minha mente, tenra tanto na idade quanto em experiência na polícia, poderia absorver, enquanto tentava reter o máximo possível, embora não necessariamente obtendo sucesso.

Minhas últimas ordens antes de me pôr em marcha foram concentrar-me em Stokely Carmichael e em seu discurso, com ênfase na resposta do público à sua mensagem. Disseram-me que, se a oportunidade se apresentasse, eu me sentisse livre para fazer uma compra de drogas, desde que conseguisse identificar de alguma forma o vendedor. Como um policial novato acostumado a regras rígidas de conduta que regem todo tipo de comportamento, fiz a pergunta, pode-se dizer, mais importante para mim:

— Posso pedir uma bebida alcoólica no bar?

Todos riram da ingenuidade da minha pergunta — que mais tarde descobri ser comum aos membros recém-recrutados da Unidade de Narcóticos —, mas Arthur aliviou minha preocupação ao me dizer que um coquetel ou uma cerveja era aceitável, contanto que isso fosse necessário à investigação. Eu deveria estar sempre ciente de que o que eu fizesse e dissesse seria usado no tribunal, e qualquer consumo de substância, cuidadosamente analisado durante um julgamento.

Recebi um carro sem identificação, com um rádio comunicador portátil, e me dirigi para o Bell's Nightingale. No início da noite, o lugar já estava abarrotado de carros estacionados. Era óbvio que o tão aguardado discurso de Stokely seria um sucesso local. Depois de pagar minha taxa de entrada de três dólares pelo programa, "Stokely Carmichael Fala", abri caminho pela multidão. Comecei a sentir o frio na barriga padrão, sabendo que eu estava numa operação disfarçada, sem mencionar que já havia reconhecido várias pessoas que, ao longo da minha jovem carreira, eu tinha multado por várias infrações de trânsito. Também reconheci uma porção de nossas "celebridades do gueto" locais, cafetões, prostitutas e traficantes de drogas. Alguns dos elementos mais jovens, mais "bandidos", também estavam em meu campo de visão. Eu me senti como Daniel entrando na cova dos leões, comida esperando para ser reconhecida e devorada.

Todas as pessoas reunidas para o discurso de Carmichael tinham uma aversão inerente à polícia e, quando se tratava de um policial negro, isso só era exacerbado. Para eles, eu não era um homem "negro", mas sim, um policial que por acaso era negro. Aos olhos deles, eu era um "traidor" da causa pela qual um irmão revolucionário negro como Stokely havia dedicado a vida e sobre a qual estava ali para falar a respeito. Enquanto irmãos negros como Stokely pretendiam derrubar o homem branco — um "demônio" aos olhos deles — e sua sociedade centrada no racismo e estrutura de governo dominante, irmãos como eu haviam sido capturados num mundo inferior comum a policiais negros, um vazio "fantasma" em que éramos negros demais para a comunidade branca a que servíamos, bem como para alguns de nossos colegas policiais, e "azuis" demais (pela cor do uniforme que vestíamos) para nossos companheiros "irmãos de alma" engajados na causa dos direitos civis/revolução social em prol da comunidade negra. Mas muitos de nossos concidadãos negros não costumavam ver os policiais negros através das lentes cansadas da suspeita, nem nos consideravam ovelhas perdidas que se desgarraram do rebanho. Em vez disso, eles viam que tinham em comum com os policiais negros uma experiência de vida compartilhada construída sobre um pano de fundo de preconceituosa degradação, baseada na pigmentação da pele e em outros fatores sociais.

Mas, para negros revolucionários como Stokely, o fato de eu e outros como eu termos escolhido usar um distintivo, uma arma e um uniforme azul representando as forças de um governo "opressor" (do ponto de vista deles) e aplicar o que eles acreditavam ser leis naturalmente injustas especificamente projetadas para recair contra aqueles vitimados por essa opressão, fazia com que nos tornássemos "escravos domésticos" modernos — crioulos domésticos, cada um de nós um judas negro que havia escolhido colaborar com o mestre (senhor) governamental e aplicar a "justiça do homem branco". Nós tínhamos nos tornado escravos do "sistema", um "negrinho" do homem branco, como fui chamado em muitas ocasiões ao longo de minha carreira por aqueles que se autoproclamavam meus "irmãos negros".

Só que eu tinha orgulho tanto por ser negro como por ser policial. Sentia orgulho da minha cor escura, mas não rancor. Estava impressionado com Stokely porque ele era uma figura do movimento pelos direitos civis. Pessoas como ele (MLK, Malcolm X, Rosa Parks, Recy Taylor, John Lewis e assim por diante) tornaram a vida melhor para pessoas como eu. Mas agora ali estava eu sendo empurrado para essa situação peculiar, e eu não tinha nenhuma crise de consciência, pois sabia diferenciar ser um policial que era negro e ser um negro na América branca.

O clube tinha um punhado de brancos, os "aspirantes" a negros conhecidos como *wiggers** ou "brancoulos" — "crioulos brancos" — pela atual comunidade de hip-hop.

---

* *Wiggers,* contração de *white niggers*, ou negros brancos (N. T.)

Acabei encontrando uma mesa perto da parte de trás do bar com uma ocupante solitária, uma mulher alemã muito atraente. Com a permissão dela, sentei-me de costas para a parede, um movimento estratégico comum aos agentes infiltrados — e à polícia em geral —, obtendo uma visão de todo o lugar no caso de uma briga irromper. A partir dessa posição, também tratei de localizar a saída mais próxima, para o caso de eu ter de escapar às pressas.

Ela acolheu bem a minha companhia e entabulou uma conversa em inglês com forte sotaque alemão. Seu papo era insinuante em essência e me colocou numa posição um pouco desconfortável, porque eu tinha acabado de começar a namorar a mulher que, cinco anos depois, viria a se tornar a minha esposa. Embora ainda não estivéssemos comprometidos num relacionamento sério, no íntimo eu sabia — apesar de não ter dito a ela ainda — que queria seguir adiante com o namoro, se ela assim o quisesse. Apesar disso, o "garanhão" em mim — todos os homens são um pouco "garanhões" quando o assunto é mulher, em especial os homens como eu na época, que mal tinha completado 21 anos, era solteiro e sem obrigações de qualquer tipo — ficou um pouco lisonjeado com o interesse daquela mulher alemã. Eu, no entanto, era muito disciplinado e dedicado aos meus objetivos para permitir que seu flerte interessado numa possível aventura amorosa me desviasse de meu propósito. Essa era uma linha que eu não tinha a intenção de cruzar.

Pedi uma Cuba Libre, a primeira bebida alcoólica que tomava em serviço e, por gentileza, solicitei ao garçom que trouxesse a ela mais uma dose do que estava tomando. Redirecionei o foco de sua conversa de mim para o assunto das drogas. Ela se ofereceu para "descolar" (comprar ou me apresentar a alguém que vendesse drogas) maconha ou cocaína para curtirmos, mas, antes que eu pudesse me aprofundar nessa perspectiva, Stokely Carmichael foi apresentado com uma empolgante ovação de pé com o simbólico punho fechado erguido do segmento Black Power do movimento dos direitos civis e gritos de "É isso aí, irmão" e "Poder Negro". A multidão estava totalmente entregue de corpo e alma a ele. Eu, por outro lado, enquanto aplaudia, estava ocupado rindo de minha companheira que se juntara ao coro da multidão com seu forte sotaque alemão gritando "Poder Negro" com um punho branco erguido.

O discurso de Stokely foi típico dos muitos que havia feito ao longo dos anos. Repleto de referências a suas crenças filosóficas no pan-africanismo, um movimento ideológico que encorajava a solidariedade econômica, social e política mundial entre os povos da diáspora africana. Era — é — uma crença baseada num legado histórico compartilhado, unido por um inimigo comum: a raça branca. Juntamente com sua crença numa derrubada revolucionária marxista do sistema político americano, a mensagem de Stokely era de grande interesse para as massas negras e motivo de preocupação para os meus superiores.

Stokely era dinâmico, hipnótico. A alternância em seu tom de voz tinha a capacidade tanto de levar o público a um frenesi febril como de acalmá-lo, como se estivesse ouvindo a um reconfortante sermão numa manhã de domingo. Ele era como um mestre titereiro em um teatro de bonecos, manipulando os cordões de nossas emoções e nos conduzindo por um caminho que provavelmente nunca soubemos que queríamos trilhar.

Eu me vi — inúmeras vezes — apanhado no arrebatamento de seu raciocínio contra a própria instituição governamental que eu representava e as pessoas brancas que eu geralmente via com carinho e boas intenções. Quando isso acontecia e eu me pegava batendo palmas e gritando "É isso aí, irmão" com entusiasmo, tinha que me lembrar rápido de que estávamos em papéis antagônicos e torcer muito para que eu fosse um ator infiltrado suficientemente bom e os policiais de vigilância que me escutavam pelo transmissor sem fio colado ao meu corpo não fossem capazes de detectar na minha voz o tom de concordância e aceitação da lógica dele.

Stokely, com a plateia, eu inclusive, na palma de sua mão retórica, atacava o homem branco e a raça branca afirmando que, ao longo de toda a História, eles haviam compreendido somente uma coisa excepcionalmente bem — o poder que vem do cano de uma arma. Ele então pediu que as massas negras na América se preparassem para a "GRANDE" revolução que estava por vir em breve. Essa declaração recebeu, talvez, a maior resposta de aplausos da multidão e ruidosas manifestações verbais de afirmação negra na forma de "É isso aí, irmão" e "Black Power".

Ao fim de sua apresentação de quase 45 minutos, Stokely foi ovacionado de pé e recebeu mais gritos de afirmação negra da multidão. Seus anfitriões do Bell's Nightingale organizaram, então, uma fila entre seus muitos admiradores e aqueles que simplesmente queriam tocar um pedaço vivo da história negra contemporânea, a fim de que ele os conhecesse e os cumprimentasse. Entrei na fila e esperei minha vez de falar com ele. Quando afinal me aproximei, fiquei impressionado com a sua imponência física.

De perto, dava para ver que Stokely tinha mais de 1,90 metro de altura e uma pele cor de cacau sem nenhum defeito. Ao apertar sua mão, ele me lançou um de seus sorrisos calorosos e contagiantes, com os dentes mais brancos e perfeitos que eu já tinha visto. Pensei comigo mesmo: *Este é um homem muito bonito.*

Enquanto apertávamos as mãos, perguntei se ele de fato acreditava que um conflito armado entre as raças branca e negra era inevitável. Ele apertou minha mão com mais força e puxou meu rosto para mais perto do dele, seus olhos disparando rápido pelo recinto enquanto sussurrava:

— Irmão, arme-se e prepare-se porque a revolução está chegando e nós vamos ter que matar branquelos. Confie em mim, está chegando.

Então, ele se afastou e me agradeceu por vir ouvi-lo discursar. Desejou-me tudo de bom, o que eu retribuí, e minha primeira tarefa como policial disfarçado e meu primeiro encontro com a história chegou ao fim.

Saí da boate e voltei para a delegacia com a minha equipe. Nós nos reunimos para um relatório, e eu lhes contei o que acontecera lá dentro. Como estavam escutando, sabiam o que Stokely dissera, mas eu lhes contei sobre a atmosfera. Como fora simplesmente eletrizante, emocionante, mas não raivosa, apesar do conteúdo do discurso. Ele não estava incitando violência imediata. Eu preenchi os relatórios necessários e fui para casa naquela noite me sentindo estimulado.

Naquele momento, minha vida profissional não poderia estar melhor. Eu conseguira me tornar um patrulheiro uniformizado e recebera uma missão especial junto à Unidade de Narcóticos. Dali a três meses, eu seria oficialmente um detetive disfarçado da Narcóticos, o primeiro negro da história do Departamento de Polícia de Colorado Springs e, conforme fiquei sabendo mais tarde, o mais jovem — com diferença de cerca de um mês.

Assim, comecei minha carreira de infiltrado investigando os Panteras Negras, mas agora era hora de ir atrás do outro lado da moeda. Afinal de contas, a Klan havia telefonado.

3

EU SOU A VOZ, VOCÊ É O ROSTO

Há certas verdades em relação ao trabalho sob disfarce que devem ser reconhecidas. Primeiro, eu quebrei a regra mais básica de todas e estava entrando num caso sem um plano de operação. Segundo, usei meu verdadeiro nome em vez da minha identidade de fachada — um pecado mortal. Terceiro, tendo usado o meu nome verdadeiro, eu dei o endereço e o número de telefone de fachada sem prever a possibilidade de que isso fosse dar em alguma coisa.

Quando essa investigação começou, eu era policial havia quatro anos, três dos quais trabalhando sob disfarce com a divisão de Narcóticos e a de Costumes. Eu era bem versado no básico de como conduzir tais investigações; entretanto, nesse caso em particular, agi de modo muito descuidado na minha abordagem inicial ao tratar dessa questão, e meu mau julgamento fez com que eu cometesse um erro crítico. Por sorte, as pessoas com quem eu estava lidando, digamos, não primavam pela inteligência, e meus enganos não puseram em risco o resultado da investigação. Quando muito, minhas falhas no início, desconhecidas para mim, foram as sementes do sucesso da investigação.

Depois de terminar a ligação com Ken, entrei imediatamente em contato com meu sargento, Ken Trapp. Eu disse a Trapp que queria usar Chuck, da Narcóticos, disfarçado, para me ajudar. Ken concordou e, por isso, contatei Arthur, que havia sido promovido a tenente no período entre a investigação de Stokely e a da Klan, e requisitei o uso de Chuck para uma missão secreta em 9 de novembro. Passei-lhe os detalhes e o que eu esperava realizar com a investigação.

Essa deveria ser uma investigação de inteligência cujo propósito seria descobrir tanto sobre a crescente ameaça da Klan em Colorado Springs, e em todo o Colorado, como também prevenir quaisquer atos de terror que pudessem resultar. Durante o curso da investigação, poderíamos tê-la encerrado a qualquer momento, prendendo vários membros da Klan por crimes menores; no entanto, esse não era o meu objetivo. Se esses indivíduos descambassem para a esfera dos crimes graves, nós com certeza os pegaríamos e poríamos um fim à investigação. Enquanto esse limite não fosse extrapolado, eu estava determinado a seguir a trilha das informações até onde ela me levasse e descobrir o máximo possível sobre a divisão de Colorado Springs da Ku Klux Klan. No entanto, Arthur era um detetive da Narcóticos e suas investigações tinham como objetivo efetuar prisões e reunir provas para os julgamentos. Colher informações era algo que ele não compreendia ou queria fazer.

Ele recusou o meu pedido.

— Não apenas eu não tenho os recursos humanos para isso como no momento em que Ken ouvir um de nossos oficiais brancos falando com ele, saberá que esteve conversando com um homem negro ao telefone.

— Como é que um negro fala? — perguntei.

— Bem, você sabe... — Arthur não terminou a frase.

— Não, eu não sei. Explique para mim.

Tive como resposta um silêncio sepulcral. Eu já tinha ouvido isso de alguns outros policiais com quem trabalhei. Eles haviam sido tomados por preconceitos mentais e estereótipos sobre padrões de fala de americanos afrodescendentes. Eles me tratavam como naquela cena de *Apertem os Cintos... O Piloto Sumiu!*, quando June Cleaver (vivida por Barbara Billingsley) se levanta e fala com um monte de gírias, que era o que muitos deles queriam dizer com a frase "você fala como um homem negro". Um outro colega me respondeu, quando eu lhe fiz essa mesma pergunta: "Você sabe, falando com malemolência e intercalando um 'foda-se' e um 'filho da puta' a cada frase". No mesmo instante eu caí na gargalhada, tanto pela incoerência de sua declaração quanto por seu significado e como esse significado me preocupava no contexto do potencial êxito da investigação.

Arthur e outros no departamento que compartilhavam desses pensamentos estavam, em última análise, dizendo que eu não seria capaz de me comunicar de forma bem-sucedida com esses membros da Klan pelo telefone. Por ser um homem negro, eu acabaria falando "com malemolência e intercalando um 'foda-se' e um 'filho da puta' a cada frase" durante a minha conversa, revelando assim que eu era, de fato, um homem "negro"; eu, no fim das contas, de algum modo cederia ao desejo de dizer "foda-se" e "filho da puta", e qualquer que fosse o membro da Klan com quem eu estivesse conversando saberia imediatamente que ele estava falando com um homem "negro".

Algo ridículo e, de certa forma, hilário ao mesmo tempo pelo absurdo da coisa.

O segundo motivo para Arthur recusar o meu pedido foi que toda essa ideia de que a Ku Klux Klan estava em Colorado Springs não deveria ser levada a sério e ele não permitiria que a identificação de um de seus investigadores disfarçados fosse comprometida de forma irresponsável com essa tolice. Para ele, o anúncio não passava, no máximo, de uma brincadeira, e Ken era apenas um homem raivoso com quem ninguém deveria se preocupar.

Diante da recusa do tenente, voltei a me reunir com o sargento Trapp e tomei a decisão de passar por cima da autoridade de Arthur me dirigindo diretamente ao chefe de polícia para garantir os recursos de que precisaria para "comparecer" ao encontro com o organizador local da Klan. O sargento Trapp me proporcionou total apoio. Do ponto de vista da minha carreira, essa decisão não era o que se poderia chamar de sábia. Quanto ao relacionamento azedo que eu tinha com o tenente Arthur, esse ousado passo de recorrer a um superior na cadeia de comando — atropelando um capitão e um chefe de polícia adjunto dos detetives — com certeza alimentaria aquela animosidade.

A animosidade entre mim e Arthur havia se desenvolvido quando trabalhei para ele na Unidade de Narcóticos, cerca de um ano antes. Antes disso, ele era um mentor para mim. Para resumir a história, havia uma decisão que tinha de ser tomada num caso da Narcóticos e todos nós votamos em propostas apresentadas por Arthur e pelo supervisor do xerife. Votei a favor da posição do xerife, para grande desgosto e raiva de Arthur. Ele achava que, como policial do DPCS, eu deveria ter ficado do lado dele e do sargento na disputa. Não lhe agradou o fato de eu ter expressado minha opinião independente em uma questão contra ele. Daquele ponto em diante as coisas não foram mais as mesmas entre nós em nosso relacionamento profissional.

Eu tinha apenas uma semana para fazer os arranjos necessários para o encontro com o organizador local da Klan e, para ser sincero, não houve tempo de me preocupar em não aumentar antigas mágoas nem com o protocolo da hierarquia do departamento e os danos resultantes de egos feridos. Minha conclusão era a de que o tenente tinha problemas comigo e ele continuaria a ter problemas comigo, quer eu fizesse isso ou deixasse de fazer. Em outras palavras, eu não tinha nada a perder.

Outro aspecto da lenha que eu estava prestes a jogar na fogueira pessoal entre nós dizia respeito à atitude do tenente em relação ao nosso chefe de polícia. Ele guardava intenso ressentimento do chefe, não tendo nenhum respeito por ele devido à política que o ascendera àquele posto.

O chefe de polícia fora promovido havia pouco tempo — até então, ocupara o posto de tenente no serviço público permanente —, embora tivesse menos tempo de serviço do que Arthur, seu equivalente na Narcóticos. Quando tenente, o chefe de polícia ficara encarregado da Divisão de Relações com a Comunidade do departamento, considerado um serviço indefinido na hierarquia da polícia, e fora muito bom nisso. Como ele não tinha servido em uma função de "linha de frente" do mesmo modo que seus "pares" na divisão de detetives ou de patrulha uniformizada, o chefe era tratado com desprezo por tê-los ultrapassado no processo de seleção. Aos olhos deles, era considerado desqualificado para ser chefe de polícia do Departamento de Polícia de Colorado Springs.

Arthur, tenente da Narcóticos, não conseguiu lidar com a realidade de que o tempo passara para ele. Durante esse período, o DPCS, como muitos departamentos de polícia no país, começou a exigir um grau de instrução maior para o progresso dentro de sua hierarquia. Questões tradicionais, como ser mais merecedor (ser mais qualificado com base na produtividade e no tempo de serviço), não eram mais o paradigma no qual uma promoção se baseava. Ele e outros estavam sendo relegados a um *status* secundário em favor daqueles com nível de ensino superior. Um dos requisitos específicos que o conselho promocional pedia quando buscava um novo chefe de polícia era que o candidato de dentro da atual estrutura hierárquica possuísse ao menos um diploma de bacharel. O tenente da Narcóticos tinha uma graduação técnica, ao passo que o tenente de Relações com a Comunidade possuía um mestrado, o único oficial de patente do DPCS com um diploma de pós-graduação na época.

O sargento Trapp e eu fizemos um resumo ao chefe sobre as ações que eu havia realizado até então: a resposta enviada pelo correio para o anúncio do jornal, a conversa telefônica com o organizador local da Klan e seus planos declarados de queimar cruzes para anunciar sua presença aos moradores da cidade. A Klan desejava perpetrar um ato histórico de terrorismo doméstico, estimulando assim o orgulho branco e, como consequência disso, aumentando o número de filiações.

Ele demonstrou um grande interesse por nosso resumo e depois de tirar algumas dúvidas perguntou se eu precisava de mais recursos humanos. Solicitei o uso de dois detetives de vigilância para me acompanhar em 9 de novembro. Ele, então, telefonou para o tenente e orientou-o a colocar à minha disposição toda a assistência necessária em termos de pessoal que eu precisasse para levar adiante a investigação.

Como era de se esperar, Arthur não ficou satisfeito com as minhas atitudes. Eu, como era de se esperar também, não me importei se seus sentimentos e ego estavam feridos. Na minha opinião, essa reunião era uma oportunidade única para criar uma brecha num grupo com um longo histórico de terrorismo doméstico que estava agora no processo de se estabelecer na minha cidade.

Eu me reuni com Chuck pela primeira vez e o informei sobre tudo a respeito da investigação.

Contei-lhe o que eu havia feito. A natureza do telefonema e o que Ken e eu havíamos conversado.

— Eles estão planejando queimar cruzes, campanhas de caridade somente para brancos, ações de recrutamento e precisamos saber o que mais.

Ele começou a rir.

— Um policial negro se infiltrando na Klan? Isso é loucura. Não acha que eles vão descobrir que você é negro?

— É por isso que vamos estar em perfeita sintonia. Eu vou ouvir pelo microfone tudo o que você e ele conversarem. E você vai estar ciente de tudo o que eu digo para ele no telefone. Eu sou a voz, você é o rosto.

— Esta é a coisa mais maluca que eu já ouvi na vida. Estou dentro — disse Chuck com um amplo sorriso.

Infelizmente, a disponibilidade de Chuck era muito limitada, devido à sua carga de trabalho na Narcóticos e à política do departamento. Ele poderia ser usado apenas como último recurso, então eu precisaria continuar com o grosso do engodo pelo telefone; assim, precisávamos ficar informados de tudo que fosse conversado entre nós individualmente e com qualquer membro da Organização.

O encontro de 9 de novembro era decisivo, pois Ken já havia formado uma imagem positiva antecipada de "Ron Stallworth", com base na conversa telefônica inicial. Informei a Chuck que ele tinha um desafio imediato: pegar aquela imagem positiva que eu havia plantado na mente de Ken por meio da interação telefônica e reforçá-la durante a reunião cara a cara.

Conforme expliquei a Chuck, Ken teria que manter sempre a crença de que estava lidando com uma única pessoa, fosse conversando comigo ao telefone ou com ele (Chuck) pessoalmente; nós precisávamos coordenar nossas informações para que pudéssemos retomar de um encontro para o outro sem qualquer interrupção no fluxo de conversação.

Se eu tivesse uma conversa telefônica que levasse a um encontro presencial, no qual Chuck comparecia fingindo ser eu, ele precisava ter conhecimento de todos os aspectos da conversa para estar preparado para discutir quaisquer questões associadas a ela, caso surgissem. Da mesma maneira, eu precisava conhecer todos os detalhes das conversas cara a cara que ele tivesse com os membros da Klan. Em outras palavras, as conversas que Chuck e eu tínhamos com esses indivíduos tinham que bater, para que pudéssemos enganá-los.

No dia 7 de novembro, dois dias antes do nosso encontro marcado, liguei para Ken para confirmá-lo dali a dois dias na cidade de Security. Concordamos que o cara branco de aparência hippie e eu nos encontraríamos às 19 horas, no estacionamento do restaurante Kwik Inn.

Ken estava tranquilo o suficiente para revelar que, devido à publicidade gerada pelo anúncio de recrutamento no jornal, o Exército o colocara de licença até que sua missão militar terminasse em 37 dias. Eu reparei que o fato de o Exército reconhecer Ken a partir de um anúncio classificado sem nome ou outras informações de identificação não seria possível. Se ele estava realmente em liberdade condicional por seu envolvimento com a Klan, o Exército devia ter descoberto algo mais.

Mas a Klan estava numa forte campanha publicitária, ao que tudo indicava. O *Gazette Telegraph*, um dos dois principais jornais de Colorado Springs, publicou um artigo dizendo que David Duke, Grande Mago da KKK, viria à nossa cidade para uma visita — apenas um pequeno parágrafo no jornal.

— Também houve um artigo esta semana sobre David Duke vir para Colorado Springs em breve. Isso é verdade? — perguntei a Ken.

— Sim, Duke telefonou ele próprio para o jornal e revelou que estaria na cidade em janeiro — confirmou Ken. — Vamos realizar uma grande reunião. Temos seis membros encapuzados até agora, e estamos procurando acrescentar mais. Queremos fazer uma senhora demonstração. Ainda estamos confirmando o cronograma com David, mas você será o primeiro a saber, Ron.

Falamos um pouco mais, basicamente contamos umas piadas e jogamos conversa fora, e então Ken disse:

— Bem, eu tenho que ir. Mas vejo você em dois dias.

Na noite do dia 9, encontrei-me com Chuck e Jimmy, outro investigador da Narcóticos, para nos prepararmos. Revisamos o plano de ação: Chuck iria dirigindo até o Kwik Inn, e Jimmy e eu ficaríamos por perto, numa van estacionada do outro lado da rua.

Chuck tinha sido equipado com um transmissor sem fio preso ao corpo que me permitia ouvir e registrar a conversa deles. Além disso, dei a Chuck os itens pessoais de identificação — somente no caso de serem solicitados —, para confirmar sua identidade como "Ron Stallworth". Tais itens incluíam um cartão de biblioteca, cartões de crédito, cartão do Seguro Social — qualquer coisa que levasse meu nome, mas não contivesse minha foto ou me identificasse como um homem negro.

Chuck carregava uma arma escondida, algo que é padrão no trabalho sob disfarce. Mesmo que fosse revistado por Ken e seus comparsas, ele poderia alegar que sempre portava uma arma.

Nós dirigimos até o restaurante e Chuck estacionou sob as brilhantes luzes fluorescentes, enquanto Jimmy e eu paramos do outro lado da rua, e então fizemos o que todos os investigadores fazem no começo de uma operação. Aguardamos.

4

MEU NOVO AMIGO DAVID

Nossa espera não foi longa. Dez minutos depois de chegarmos ao Kwik Inn, uma picape parou e o hippie de aparência estranha com um bigode de Fu Manchu que estávamos aguardando saiu dela. Ele foi até o carro de Chuck e bateu na janela.

— Você é o Ron? — ele perguntou.

— Sim — confirmou Chuck.

— Eu sou Butch. Estou aqui para levar você até o Ken, que está em outro local. Venha, entre no meu carro e eu vou levá-lo até ele.

Como em qualquer encontro sob disfarce, é imperativo que o "AI" (agente infiltrado) se esforce ao máximo e empregue toda a sua capacidade para manter o controle dos eventos. Isso é essencial não apenas para sua própria segurança e para o sucesso geral da operação, como também para o bem dos agentes de vigilância, cuja principal responsabilidade é fornecer apoio para ele no caso de a situação sair do controle e ameaçar seu bem-estar pessoal. Com isso em mente, sabendo que ele estava "grampeado" e também tinha um rádio comunicador portátil em seu carro de fachada, Chuck fez o melhor que pôde para se opor.

— Que tal eu segui-lo no meu carro? — Chuck ofereceu.

— Não. Não é assim que vai ser. Você irá deixar o seu carro aqui e eu vou levá-lo até o Ken.

— Bem, para onde você está me levando?

— Você verá.

Chuck finalmente cedeu e entrou na picape de Butch.

Quando ele entrou, Chuck olhou na direção em que Jimmy e eu estávamos estacionados. Como o transmissor sem fio do corpo é um dispositivo unidirecional (só transmite, não recebe), ouvíamos Chuck, mas não podíamos transmitir mensagens para ele. Ele sequer sabia se o transmissor estava funcionando, embora o tivéssemos testado depois de prendê-lo ao seu corpo, antes de ele sair do escritório para esse encontro. Não era incomum que esses dispositivos tivessem interrupções inesperadas, às vezes, no meio de uma operação disfarçada. Como acontece com qualquer operação desse tipo, o AI em geral opera numa escuridão apavorante, sem saber se o transmissor está funcionando de forma adequada e se a vigilância é capaz de ouvir com clareza sua conversa, ou se eles têm algum conhecimento de seu paradeiro quando, como neste caso, ele está se deslocando de um local para outro não conhecido de antemão.

Como descobrimos logo depois, as nossas preocupações foram injustificadas, já que Butch dirigiu cerca de dois quilômetros e meio até um ponto de encontro popular para a clientela adulta local, principalmente o pessoal militar da área, o Corner Pocket Lounge, que não passava de uma bodega com placa de néon, mesas de bilhar puídas e cerveja barata. Mais tarde, soube que o salão era o ponto de recrutamento "não oficial" para Ken e seus companheiros da Ku Klux Klan. Jimmy e eu estacionamos do lado de fora do bar e passamos nossa localização pelo rádio para os policiais da nossa área. Felizmente, nessa ocasião, o transmissor preso ao corpo estava funcionando perfeitamente.

Chuck foi cumprimentado por Ken — um homem não muito alto (cerca de 1,75 metro), corpulento (por volta de 100 kg), com uns 28 anos de idade, cabelos castanhos com corte militar e um leve bigode. Com ele estava um homem mais jovem (de aproximadamente 20 anos) que Butch apresentou como seu irmão mais novo, Baron. Acreditando que ele estava falando comigo, Ken disse a Chuck:

— Fiquei impressionado ao conversar com você pelo telefone. Sinto que você tem algumas boas ideias que poderiam ajudar a Causa.

Ele então mostrou a Chuck um envelope com papéis, que disse conter todas as informações necessárias que Chuck iria precisar se decidisse se juntar à Causa. Ele iniciou uma explicação sobre o que o levara a se juntar à Ku Klux Klan.

A Klan, de acordo com Ken, tornara-se sua "salvação" depois de ser baleado por alguns "crioulos" e sua esposa ter sido estuprada por vários deles. Seu preconceito em relação a "crioulos", ele disse, começara, de fato, depois que ele se juntou ao Exército dos Estados Unidos.

— Você tem visto a publicidade que a Klan vem recebendo em todos os jornais? — Ken perguntou a Chuck. Chuck respondeu que sim, embora admitisse que era provável que tivesse perdido alguns dos artigos vez ou outra. Ken continuou explicando que ele e outros membros da Klan haviam conseguido esses artigos, ligando para jornalistas. A Klan estava tornando sua presença conhecida. Era amador, desesperado até, mas eles de fato conseguiram uma modesta cobertura. Por estarem na imprensa, esperavam ganhar simpatia aos olhos do público, conquistar novos membros, atrair atenção e legitimar sua Causa. Mesmo que a Klan de Ken ali fosse pequena, causava uma sensação. A imprensa os cobriria, não importasse o quê.

Ken explicou que a mídia, na opinião dele, tinha denegrido a Causa e, no processo, a ele também, mas não explicou como exatamente a mídia fez isso com ele. Ken estava tendo problemas com seu comando militar desde então, e seu esforço para se realistar corria risco devido a isso. Ficara claro nas minhas conversas telefônicas com Ken que ele estava zangado, mas agora, ouvindo-o com Chuck, essa raiva ficava ainda mais pronunciada. Havia uma evidente fúria em sua voz, ao mesmo tempo rancorosa e triste, que o alimentava.

— O que esses crioulos fazem precisa ser conhecido. Veja o que aconteceu com a esposa de Butch — disse Ken. Ken afirmou que a esposa de Butch havia sido esfaqueada pouco tempo antes por "crioulos" e que uma mulher que morava na rua dele era suspeita do esfaqueamento. Ele disse que "alguém" havia queimado uma cruz no gramado dessa mulher para deixar uma mensagem para ela, mas fizera um péssimo trabalho. Mais tarde, verifiquei todos os bancos de dados de relatórios do departamento de polícia e do departamento do xerife sobre esse suposto incidente e não consegui encontrar nenhuma indicação de que, de fato, ocorrera. Em caso afirmativo, a vítima não o denunciara à polícia... uma hipótese muito improvável.

A voz de Ken mudou, como se expressasse algum devaneio agradável, dizendo:

— Eu gostaria de encontrar quem foi o responsável pelo incêndio para poder mostrar a ele a maneira correta de queimar uma cruz e também parabenizá-lo.

Ken continuou explicando que Butch era seu guarda-costas, mas que a Klan — coletivamente — era um grupo não violento. Ele enfatizou esse ponto afirmando:

— Nenhuma forma de violência deve ser praticada a menos que ocorra antes a um membro do grupo.

Butch, pela primeira vez desde que chegara ao Corner Pocket Lounge, dirigiu-se a Chuck, dizendo:

— Em público, a Klan deve ser chamada de A Organização ou Causa. — Ele explicou sua angústia pessoal ao querer se expressar violentamente em sua relação com os "crioulos", mas negando a si mesmo essa oportunidade e satisfação, porque ele sempre se lembrava das políticas não violentas da Organização. — É difícil segurar às vezes, sabe? Mas A Causa é mais importante. Os planos que temos realmente mudarão o mundo.

— Bem, eu com certeza estou interessado em me juntar à Organização — assegurou Chuck.

Ken pediu que ele abrisse o envelope e retirasse o pedido de filiação. Explicou passo a passo como preencher o requerimento, incluindo os custos. A taxa de mensalidade do restante do ano seria de dez dólares, sendo que a de um ano inteiro era de trinta dólares. Haveria também uma taxa de quinze dólares da divisão local. Ken identificou o banco no qual a Klan tinha uma conta e disse a Chuck que seria necessário anexar uma foto ao requerimento.

— Butch e eu estamos ansiosos para você se juntar à Organização o mais rápido possível. Se fizer isso, é muito provável que você e Baron viajem para Denver em breve a fim de se tornarem membros jurados do grupo ao mesmo tempo. — Ele explicou que, uma vez que o processo de requerimento estivesse concluído, em geral levava de dez dias a duas semanas para se receber o cartão de filiação do escritório nacional na Louisiana.

— Então, quais exatamente são os planos da Klan em Colorado Springs? — perguntou Chuck.

— Queimar cruzes. Quatro delas.

— Onde? — Chuck quis saber.

— Ainda estamos planejando os locais exatos, mas nas colinas ao redor da cidade. Marcar presença de verdade.

Butch explicou que cada cruz teria cerca de cinco metros de altura por dois e meio de largura e seriam montadas dias antes de serem queimadas. Vários dias antes da queima, os membros iriam se dirigir aos locais predeterminados e cavar os buracos para a colocação das cruzes e então os cobririam com pedras até estarem prontos para o uso. Na noite da queima, os membros iriam a cada área selecionada, removeriam as pedras e posicionariam as cruzes em seus respectivos buracos. Depois de encharcar as cruzes com uma solução inflamável, um pavio composto por um cigarro aceso colocado em uma caixa de fósforos seria programado para pegar fogo em três minutos, permitindo a fuga.

— Eu vi esse pavio de cigarro num filme do James Bond — revelou Ken com orgulho.

— É inteligente — reconheceu Chuck. Sorri para Jimmy quando ouvi isso. Que dupla de 007s tínhamos em nossas mãos.

— Se conseguir ter sua filiação aprovada a tempo, você poderá se juntar a nós — acrescentou Butch.

Ken então continuou contando sobre as atividades planejadas dizendo a Chuck que eles iriam organizar um "Natal Branco para Brancos Necessitados" no mês seguinte. Os membros iam reunir sacolas de alimentos e outros itens para pessoas brancas carentes.

— Crioulos — disse Ken — veem o Natal como uma época para roubar as pessoas brancas, e os judeus o enxergam como uma época para ganhar dinheiro em cima da população branca. Ninguém nunca zela pelo bem-estar dos brancos, então os membros vão fazer algo para as pessoas brancas pobres no Natal.

Ken advertiu a Chuck para nunca admitir ter participado de nenhuma queima de cruz nem de nenhum ato de violência. Isso, explicou ele, era uma política da Organização.

Quando indagado sobre qual era o procedimento para introduzir outro membro em potencial na Organização, Ken respondeu que "a primeira coisa a considerar era se havia algum judeu" na ascendência do membro em potencial. Se não houvesse, então, uma entrevista pessoal — muito parecida com essa — seria combinada.

Sorri para Jimmy ao meu lado no carro de vigilância enquanto ouvíamos. Chuck estava pensando dois passos à frente, já se perguntando como poderíamos conseguir colocar outro homem lá com ele.

— Como você sabe, em janeiro David Duke virá para um comício — disse Ken.

Em homenagem a essa visita, a divisão da Organização em Colorado Springs estava planejando uma marcha de membros ao longo de uma das principais ruas do centro da cidade. A marcha seria coordenada pelo líder do estado (um bombeiro de Lakewood, Colorado), Fred Wilkens. O objetivo da Organização para a visita de Duke era ter cem membros "trajados", homens da Klan em túnicas brancas com capuz, prontos para participar da passeata numa demonstração de apoio, em honra e respeito pelo Grande Mago, e demonstrar que a Klan era uma presença viável no Colorado.

Ken frisou que, se eles conseguissem reunir cem membros da divisão de Colorado Springs trajados até o Natal, seria possível que fossem acompanhados por colegas da Louisiana, Kentucky, da área metropolitana de Denver, e de várias cidades do sul do Colorado, incluindo Pueblo e Cañon City, que abriga a prisão de segurança máxima do estado.

— Vai ser realmente algo grandioso — afirmou Ken.

Depois de mais alguns minutos de conversa-fiada, Chuck pegou o envelope de Ken com a promessa de concluir o processo de inscrição e enviá-lo pelo correio nos próximos dias. Ele e Ken concordaram em conversar mais sobre o assunto, e caminharam até o carro de Butch no estacionamento, onde apertaram as mãos e se separaram. Enquanto voltavam, Chuck perguntou a Butch sobre o número de membros da Klan em Colorado Springs.

Butch respondeu que não fazia ideia e acreditava que apenas o organizador estadual, Fred Wilkens, sabia quantos estavam na região de Colorado Springs. Ele disse que, quando Chuck pegasse seu cartão de membro, ele teria duas letras — CO — que representavam o Colorado, seguidas por uma série de números. Os dois primeiros números correspondiam ao ano e os números restantes representavam a filiação no estado.

Butch explicou ainda que a divisão da Klan em Colorado Springs, como em outras cidades, fora dividido em "antros" consistindo de aproximadamente cinco membros. Eram pessoas que, de acordo com Butch, "realmente confiavam umas nas outras e confraternizavam após as reuniões". Ele expressou sua esperança de que Chuck, uma vez aceito como membro, pudesse pertencer a seu antro.

Chuck foi deixado perto de seu carro no estacionamento do Kwik Inn e Butch prometeu telefonar em poucos dias para se certificar de que dera prosseguimento ao pedido de adesão. Nós tínhamos dois carros de vigilância seguindo Butch de volta ao Corner Pocket Lounge, onde ele pegou Baron e Ken. Eles seguiram a picape de Butch até uma casa próxima, da qual os ocupantes, como mais tarde foi levantado, eram um casal da base militar de Fort Carson, de Watsonville, Califórnia. Chuck, Jimmy e eu voltamos para a delegacia, onde analisamos as informações.

Essa investigação era só minha; não prestava conta dela a Arthur, que era o tenente encarregado da Unidade de Narcóticos. Para crédito de Arthur, eu não sentia que sua animosidade em relação a mim tivesse algo a ver com a cor da minha pele, e sim com a minha ousadia. Afinal de contas, fora ele quem me dera a oportunidade de começar a atuar disfarçado, mas um ano antes estávamos trabalhando num caso que envolvia o departamento do xerife. O departamento do xerife apresentou um plano de ação para o caso e Arthur apresentou o dele. Eu fiquei do lado do departamento do xerife, porque acreditava que era um plano melhor. Para Arthur isso representou uma traição, e nosso relacionamento azedara desde então. O conflito surgiu porque Arthur exigia lealdade a todo custo e eu expressei minha opinião independente.

Dentro do envelope que Ken entregara a Chuck, havia algumas cópias do jornal da Klan, *The Crusader*, e um formulário de adesão.

Preenchi todas as informações necessárias no formulário de adesão, incluindo meus dados pessoais. Também tirei uma foto de Chuck — conforme solicitado — sentado no escritório, para enviar junto com o formulário. Nós fizemos algumas piadas sobre fotos sorridentes para a Klan.

No dia seguinte, peguei dez dólares dos fundos do departamento com o sargento Trapp para pagar a taxa de adesão e enviei a inscrição para Metairie, Louisiana, sede nacional dos Cavaleiros de David Duke, da Ku Klux Klan.

É importante para mim explicar que David Duke foi e é um homem cujo nome até hoje é sinônimo de ódio no atual cenário político e midiático. Um homem que logo me consideraria um "amigo".

Embora ele tivesse o título de Grande Mago, David Duke poderia igualmente reivindicar ser chamado de mago das relações públicas. Ele vendeu seu "produto" de uma "nova" Klan durante aparições nos *talk shows* matutinos e noturnos, nos artigos das revistas *Time* e *Newsweek* sobre a transformação da Klan, e em uma série de outras publicações da mídia, incluindo revistas pornográficas soft como *Playboy* e *Oui*.

A aparência dele era a de um típico garoto americano que toda mãe desejaria como acompanhante de sua filha no baile de formatura. Ele sempre estava bem arrumado, era bem-comportado (pelo menos em público), articulado e instruído, com um mestrado. Sua aparência de doutor Jekyll desmentia a personalidade de senhor Hyde e seu ponto de vista em questões raciais comuns ao âmago do clima social e político dos Estados Unidos. Publicamente, ele não falava sobre ódio, mas sobre herança e história. Ele gerou um novo racismo para as massas de direita, que unia a antipatia aos negros e outras minorias à insatisfação geral com o governo e ao medo de um mundo complexo em constante mudança.

Como ele afirmou num artigo da revista *Oui*, por volta de 1979, "Eu não estou pregando a supremacia branca", embora tenha dito que acreditava firmemente que os brancos são superiores aos negros e outras minorias. "Eu estou pregando o separatismo branco. Gostaria de ver todos os negros voltarem para a África, que é o lugar a que pertencem, mas eu estaria disposto a dar a eles parte deste país — alguns estados, talvez — contanto que tivessem uma sociedade separada."

Duke elevou sua abordagem à propaganda "profissionalizando-a". Ele evitava usar sua túnica da Klan em aparições públicas na mídia, preferindo terno e gravata. Pessoalmente, evitava usar epítetos depreciativos para se referir aos negros em público, em particular a palavra "crioulo", e encorajava seus seguidores a fazer o mesmo ao representar a Klan e apresentar a causa para uma plateia. Em essência, ele integrou a Klan ao *mainstream*, fazendo com que parecesse uma alternativa aceitável e viável para aqueles que buscavam um meio de expressar seu descontentamento com o *status quo* de suas vidas e com os representantes do governo.

Em 1979, Duke, que quando cursara a Louisiana State University envolveu-se no movimento neonazista que desfilava pelo campus usando uniformes semelhantes aos dos nazistas, concorreu a uma cadeira no Senado pelo estado da Louisiana como democrata conservador, recebendo 26% dos votos. Em 1988, ele, de fato, concorreu nas primárias democratas para presidente, mas não conseguiu entrar na disputa. Duke então procurou obter a indicação do Partido Populista e foi bem-sucedido. Assim, ele apareceu na cédula para presidente em onze estados e, em alguns outros, os eleitores puderam escrever seu nome para votar nele. Pouco tempo depois, mudou sua filiação partidária de democrata para republicano. Em 1989, concorreu e ganhou uma cadeira como representante do estado da Louisiana no Distrito 89. No ano seguinte, concorreu sem sucesso pela indicação republicana para senador dos Estados Unidos pela Louisiana. Em 1991, Duke se candidatou a governador da Louisiana, sem sucesso. Em 1992, concorreu novamente nas eleições primárias presidenciais, dessa vez como republicano, mas sem obter êxito. Em 1996, fez outra tentativa frustrada para obter uma cadeira no Senado dos EUA. Por último, numa eleição especial em 1999 para substituir o representante dos Estados Unidos Bob Livingston, Duke concorreu como republicano, sem sucesso, contra David Vitter.

Pode-se argumentar que todas as campanhas de Duke foram bem-sucedidas no sentido de que elas lhe deram uma vasta plataforma pública da qual pôde expor ostensivamente sua filosofia e plano ideológico racista. Isso, por sua vez, forçou seus adversários de campanha a responder, provocando assim um derramamento muitas vezes caótico de discursos populistas em apoio a Duke e respostas liberais contra o que consideravam uma versão neonazista de Adolf Hitler numa túnica branca. Isso rendeu uma discussão acalorada. Se Duke não estivesse nessas corridas eleitorais, muitos, se não todos, os tópicos de sua agenda provavelmente nunca teriam sido assunto para debate. O fato de que ele ganhou uma eleição como republicano depois de fracassar duas vezes como candidato democrata diz muito sobre a mentalidade do eleitorado. A agenda política republicana de direita conservadora estava naquele período, e ainda está, muito mais em sintonia com grupos brancos extremistas racistas, alimentados pelo ódio, como a Ku Klux Klan.

No dia seguinte ao encontro do Corner Pocket Lounge, tive minha primeira conversa telefônica com o Grande Mago.

Enquanto lia um dos panfletos da Klan que Chuck me dera, notei um anúncio de "A Voz da Klan" a ser contatado por meio de um número de telefone de Palm Harbor, na Flórida. Quando liguei, não demorei a descobrir que "A Voz da Klan" era, na verdade, uma série de mensagens pré-gravadas de várias divisões do país veiculando propaganda da KKK. As mensagens eram típicas do discurso supremacista branco:

— Acorde, homem branco! O homem negro quer a sua mulher e o seu emprego. O judeu quer o seu dinheiro. O Governo de Ocupação Sionista (Zionist Occupied Government — ZOG) quer tirar seus direitos de cidadão garantidos pela Constituição dos Estados Unidos e torná-lo escravo de todo o povo de lama e de seus mestres judeus. Seu único meio de salvação é se juntar aos Cavaleiros da Ku Klux Klan, o único grupo de patriotas dedicado a preservar sua herança e seu lugar de direito numa sociedade americana branca.

ZOG era a típica referência da supremacia branca aos Estados Unidos e sua crença de que o país era dominado e controlado por judeus influenciados pelas políticas de Israel. "Povo de lama" era a referência deles a qualquer pessoa de pele escura, não branca, que considerassem estar sob o domínio dos judeus.

Enquanto a voz gravada previsível prosseguia sem parar, pregando o ódio, uma voz interrompeu e disse:

— Alô.

— Alô? — eu disse. — Quem está falando?

— Aqui é David Duke, a verdadeira voz da Klan. — Ele deu uma risadinha disso.

Tenho que confessar que fiquei bastante surpreso.

— Sou Ron Stallworth, um dos novos membros da divisão de Colorado Springs.

— Prazer em conhecê-lo.

Trocamos gentilezas e deixei-o saber quanto eu admirava sua liderança e destemor. Ele reagiu bem à bajulação.

— Senhor Duke, é verdade que está planejando uma viagem em janeiro?

— Sim, estou. Em algum momento de janeiro, mas ainda estamos trabalhando nos detalhes exatos. Espero que você esteja lá.

Eu o elogiei por toda a atenção e cobertura que a Klan tinha recebido sob sua liderança, e ele começou a se gabar de tudo o que havia realizado. Eu sabia que a chave para lidar com alguém como Duke, até mesmo alguém como Ken, que deixara claro estar longe de ser um líder inteligente, era elogiá-lo. Puxar o saco, oferecer-lhe lealdade incondicional. Nós falamos por cerca de quinze minutos, e então ele disse que tinha uma manifestação da KKK em Palm Harbor, para a qual precisava se preparar. Ele terminou nossa conversa afirmando que esperava me encontrar quando estivesse na cidade.

Quando desliguei o telefone, sorri para mim mesmo. Isso estava saindo melhor do que eu poderia ter planejado.

Trapp e Chuck não podiam acreditar que eu estivesse conversando com David Duke.

— Um maluco filho da puta — xingou Chuck.

Não conseguiam acreditar que eu estava fazendo o que eu estava fazendo, e que aqueles idiotas estavam caindo na minha conversa. Eles ficavam andando pelo departamento, dizendo a todos:

— Dá para acreditar no que esse filho da puta doido está fazendo? Conversando com David Duke.

Tive certeza de que a investigação estava fazendo muito progresso. A sensação disso era boa.

Tudo o que tinha a ver com a Klan — de um artigo de jornal a um trote telefônico para o departamento — era agora levado ao meu conhecimento. E não era apenas eu que sabia que a Klan estava tentando aumentar sua presença em Colorado Springs. O público também estava vendo esses anúncios, lendo esses artigos e ficando agitado.

O primeiro protesto público contra a presença emergente da KKK em Colorado Springs foi relatado a mim no mesmo dia da "Voz da Klan", quando interagi com David Duke. O clamor público sobre a presença da Klan chegou ao meu escritório na forma de um memorando da inteligência afirmando que negros e latinos estavam planejando praticar incêndios criminosos contra qualquer carro pertencente a membros da KKK, e essa informação tinha tudo para ser confiável.

Na semana seguinte, começou a chegar aos ouvidos da população a notícia de que David Duke estaria em Colorado Springs em janeiro para uma campanha midiática de recrutamento em prol da divisão local da KKK.

Policiais uniformizados do Departamento de Polícia de Colorado Springs atenderam a um chamado de perturbação da ordem no

Southgate Shopping Center, localizado nos limites da cidade, no extremo sul. Eles se depararam com oito manifestantes marchando pacificamente em frente às lojas, carregando cartazes com slogans contra a KKK impressos em letras garrafais e distribuindo panfletos. Descobri mais tarde que um dos manifestantes era um professor na Colorado College, uma prestigiosa faculdade particular com cursos de quatro anos de duração.

O panfleto, em inglês e espanhol, fora impresso pelo INCAR (International Commitee Against Racism), o Comitê Internacional Contra o Racismo, e trazia o endereço de uma caixa postal em Denver. Mais tarde, soube de uma reunião do INCAR planejada para aquela noite e participei de forma disfarçada. Esse foi o começo da minha coinvestigação secreta da Klan envolvendo o Progressive Labor Party — PLP (Partido Trabalhista Progressista) e seu "braço", o Comitê Internacional Contra o Racismo.

As pessoas que protestavam no shopping não passavam de cidadãos preocupados, deixando claro que não queriam um grupo de ódio como a Klan em sua cidade. Um grupo como o INCAR (Comitê Internacional Contra o Racismo), por vezes referido apenas como CAR (Comitê Contra o Racismo), no entanto, representava uma ameaça maior a grupos como a Klan e a polícia. O INCAR e sua organização matriz, o PLP, eram extremamente radicais, organizados e dedicados à sua convicção de "esmagar" a Ku Klux Klan. Eles eram bem organizados, coerentes com a política de seu partido, e mais capazes de mobilizar manifestações de protesto para atender às suas necessidades. Eles poderiam se tornar violentos.

É importante lembrar que essa era a década de 1970, um período de tremenda agitação política e civil nos Estados Unidos. Protestos com bombas eram comuns no país, em especial em cidades duramente atingidas, como Nova York, Chicago e São Francisco.

Quase uma dúzia de grupos radicais clandestinos, organizações vagamente lembradas como o Weather Underground, a New World Liberation Front e o Exército Simbionês de Libertação, detonaram centenas de bombas durante aquela década tumultuada — tantas, na verdade, que muitas pessoas aceitaram-nas como parte da vida diária.

Uma representante do INCAR de Denver, Marianne Gilbert, professora da Universidade de Denver, estava presente na reunião juntamente com um representante de Denver do PLP, Doug Vaughn.

Vaughn se identificava alternadamente como representante do PLP e do INCAR. O INCAR era o "rosto" público do PLP. O INCAR era formado por cidadãos comuns que não possuíam necessariamente fortes inclinações políticas. O PLP, por outro lado, consistia dos mais devotados e agressivos indivíduos politicamente engajados, a maior parte dos quais estava alinhada com a ideologia comunista. Doug era comunista, mas promovia o INCAR em todas as oportunidades. A essa reunião eu pude ir pessoalmente, pois os negros eram bem-vindos e usei um dos meus nomes de fachada. Já bastava um Ron Stallworth na Klan, não era necessário que outro se juntasse aos movimentos de extrema-esquerda. O objetivo da reunião era debater o início de uma divisão do INCAR em Colorado Springs e planejar as ações de protesto contra a KKK e a iminente visita de David Duke à cidade.

A intensidade dos protestos públicos contra a presença da KKK cresceu rápido e passou a incluir uma enorme quantidade de outras organizações: LAMECHA (Colorado College), BSU (Black Student Union — Colorado College), LaRaza (Colorado Springs), CWUC (Colorado Workers United Council — Denver), PBP (People for the Betterment of People — Colorado Springs) e ARC (Anti-Racism Coalition — Colorado Springs).

Embora estivesse claro que as facções esquerdistas que se organizavam contra a Klan eram mal organizadas e, na maioria das vezes, não violentas, eu podia sentir as águas começarem a ferver em Colorado Springs, e o medo e a raiva aumentando. A KKK estava planejando queimar cruzes, fazer marchas e recrutamento. As forças contrárias, embora muito menos aterrorizantes, poderiam mesmo assim conduzir a uma possível violência e instabilidade. Minha investigação era mais importante agora do que nunca, e mal sabia eu que "Ron Stallworth", esperançoso candidato a membro da KKK, avançaria muito mais rápido na Organização do que qualquer pessoa da minha equipe havia planejado.

5

O BOMBEIRO E O FOGO (DO INFERNO)

C olorado Springs era uma cidade com cerca de 250 mil habitantes e eu trabalhava num departamento de polícia que possuía em torno de 250 policiais. Era uma típica cidade militar, além de abrigar a Academia da Força Aérea e a Base da Força Aérea de Peterson. Tinha os costumeiros problemas que acompanham uma cidade militar — jovens indo curtir na cidade, prostituição, drogas, brigas, esse tipo de coisa. Coisas que as pessoas fazem quando estão de folga. O que nós não tínhamos era muitos problemas com agitação política e grupos de ódio. Uma notável exceção a isso se chamava Fred Wilkens, de Lakewood, Colorado, um subúrbio do sudoeste de Denver. Fred Wilkens, um bombeiro da cidade de Lakewood, também era o organizador estadual (Grande Dragão) da Ku Klux Klan no Colorado. Ele era uma irritação constante para as autoridades da cidade de Lakewood por causa de sua convicção política racista, que ele com frequência evocava em entrevistas na mídia. Tudo o que ele fazia estava dentro da lei — quase ultrapassava o limite, em alguns casos, mas, ainda assim, mantinha-se na legalidade. Inúmeros artigos da imprensa relatavam suas atividades extracurriculares na KKK. Por exemplo, no artigo da revista *Denver*, de fevereiro de 1978, intitulado "O Império Invisível Desmascarado: O Grande Plano da KKK", Wilkens anunciou: "A Klan é a esperança da raça branca no Colorado e na nação, e queremos dar aos americanos brancos a oportunidade de se juntarem a nós... Vamos sair pela comunidade e deixar que as pessoas vejam a nova e ressurgente Ku Klux Klan".

O clamor público contra a função de Wilkens como socorrista havia sido registrado nos meios de comunicação, bem como com queixas formais aos representantes da cidade de Lakewood. Em cada um dos casos, ele havia sido condenado publicamente, criticado pelas autoridades por seu ponto de vista racial, mas nada pôde ser encontrado para denunciar formalmente nem a ele nem suas ações extracurriculares, e não havia nenhuma punição a ele no horizonte. Sua lealdade declarada à Klan era considerada dentro de seus direitos da Primeira Emenda, e desde que isso não interferisse com o desempenho de suas funções oficiais como bombeiro de Lakewood, nenhuma ação poderia ser tomada contra ele por autoridades municipais. Na verdade, ao que parecia, ele tinha um histórico exemplar como bombeiro, incluindo, de acordo com um relatório, a ressuscitação boca a boca de uma pessoa negra após um resgate num incêndio. Wilkens sempre fora claro ao separar suas ações profissionais de suas convicções pessoais, e as autoridades da cidade só podiam expressar seu descontentamento em relação a ele de forma limitada. Conforme afirmou com clareza no artigo da revista *Denver*, "Como bombeiro, estou numa posição difícil. Existem algumas pessoas que gostariam de me ver perder o emprego. Mas é meu direito constitucional acreditar no que acho ser certo, e vou continuar dando o máximo de mim para atuar como um bom bombeiro. Meu trabalho é proteger as vidas e propriedades de todos os cidadãos, tanto brancos como grupos minoritários. É exatamente isso o que vou fazer. As pessoas me perguntam se sou racista e eu digo que depende de como você define a palavra. Se você a define como alguém que odeia raças, eu definitivamente não sou. Se a define como alguém que ama sua própria raça, então com certeza sou".

Mas Fred amava os holofotes. Estava sempre dando entrevistas, atraindo a atenção, e a imprensa local parecia mais do que entusiasmada em dar visibilidade ao bombeiro líder da Klan. Como Duke, ele queria popularizar a Klan, afirmando que "a Klan não deseja se opor ou suprimir qualquer raça, mas acredita que, para cada um desenvolver seu pleno potencial, elas deveriam fazê-lo separadamente. Por isso, a Klan é totalmente contra a integração racial e o casamento inter-racial... uma separação total das raças para benefício mútuo".

Em relação aos negros, Wilkens declarou: "Nós acreditamos que eles são inadequados e não adaptáveis à sociedade branca. Enquanto continuarem a participar da cultura branca, nós continuaremos a ter maior criminalidade, maiores impostos para a assistência social, redução dos padrões educacionais e trabalhistas e, em geral, uma deterioração contínua da civilização branca. Ao mesmo tempo que desejamos ter uma relação amigável com a sociedade negra, escolhemos viver totalmente separados dela. Esse é o nosso sentimento em relação aos mexicanos e também a outras minorias".

Como parte da minha investigação, portanto, eu telefonei para o senhor Wilkens. Contatei-o porque, mais uma vez, preferia falar com a pessoa no topo da pirâmide em vez de alguém — como Ken — que, sendo apenas um organizador local, ficava na base dessa pirâmide e não tinha como oferecer informações mais detalhadas. Como detetive da Inteligência, eu queria saber o máximo possível sobre Wilkens e imaginei que uma conversa telefônica fosse a melhor maneira de conhecê-lo. Além disso, como Lakewood ficava perto de Denver, eu poderia começar a preparar o terreno para tentar colocar um policial disfarçado de Denver no quartel-general da KKK no Colorado, já que eu sabia que a Divisão de Inteligência da Polícia de Denver não tinha nenhuma investigação secreta sobre as atividades da Klan em sua jurisdição.

Wilkens atendeu ao telefone e eu logo me apresentei como um novo membro da Klan da divisão de Colorado Springs.

— Meu nome é Ron Stallworth, sou membro da nova divisão de Colorado Springs, muito prazer, senhor Wilkens.

Ele foi muito caloroso e parecia contente em falar comigo.

Ele e David Duke adoravam ser bajulados — tudo o que você tinha que fazer era apelar para a vaidade deles. Enaltecê-los.

— Quero saber o máximo que puder sobre A Causa — eu disse. Solicitei leituras que me ajudassem a aprimorar o meu conhecimento da história e dos métodos da Klan. Ele prometeu me enviar várias edições do *The Crusader*, o jornal da Klan. Perguntei também sobre o meu cartão de membro, e ele respondeu que iria verificar como estava o andamento. Ele sabia que não tinha sido aprovado até aquela data, mas disse que, se eu não o recebesse nos próximos dois dias, era para eu voltar a procurá-lo para que ele em pessoa contatasse a sede nacional em Louisiana para adiantar o processo.

Mais uma vez perguntei sobre a suposta visita iminente de David Duke a Colorado Springs em janeiro. Wilkens confirmou a chegada de Duke, a princípio, em torno da primeira semana de janeiro. Ele esperava ter uma centena de membros da Klan encapuzados para a marcha proposta. Ele perguntou sobre uma recente entrevista ao jornal *Gazette Telegraph* dada pelo organizador local, Ken O'Dell. Queria saber minha reação pessoal à entrevista. Respondi que Ken expressava muito bem as metas e objetivos da Organização e achei que seria bem recebida pelo público. Wilkens perguntou se ele deveria dar mais entrevistas pessoais à imprensa em Colorado Springs. Garanti a ele que sim, sem oferecer razões específicas, e ele de imediato expressou o desejo de me encontrar em Lakewood para discutir as ações de organização da região de Colorado Springs. Eu, claro, concordei.

Wilkens explicou: "O cerne do plano da Klan gira em torno da atividade política". O objetivo era fazer com que os membros da Klan fossem eleitos para cargos políticos em todos os níveis de administração em todo o Colorado. Se eles não conseguissem encontrar membros da Klan qualificados para concorrer a cargos eletivos, Wilkens afirmou, "Nós também apoiaremos não membros da Klan que compartilhem da nossa filosofia. Se um candidato desejar nosso endosso público, nós o daremos ou poderemos apoiá-lo com ajuda financeira. O importante é ter o tipo certo de pensamento no governo". Ele mencionou como os "crioulos" tinham se organizado bem politicamente, e que nós precisávamos fazer o mesmo para proteger o que tínhamos.

— Eu preciso desligar, mas estou ansioso para conhecê-lo, Ron. — Agradeci a ele por seu tempo (sempre sendo um puxa-saco) e então encerramos o nosso contato telefônico.

Oito dias depois, Ken ligou para o meu alter ego disfarçado Chuck, pensando que estava falando comigo, na linha telefônica de fachada do escritório da Narcóticos para explicar a situação do meu cartão de associado. Ele disse a Chuck que o cartão ainda não havia chegado e, portanto, eu ainda não podia participar plenamente das atividades da Klan. Contou que, no dia anterior, tinha conversado pessoalmente com o "senhor Duke", que lhe disse que estaria em Colorado Springs em 1º de janeiro.

Desde o último encontro com Chuck no Corner Pocket Lounge, Ken havia voltado para casa em San Antonio, no Texas. Depois de seu retorno, ele revelou, houve vários pedidos de entrevistas na mídia, aos quais ele daria seguimento. Acrescentou que havia cem candidatos para a Klan na divisão de Colorado Springs, mas que era quase impossível incluí-los trajados com capuz e túnica a tempo para a marcha proposta de janeiro. Ken disse que não estava pronto para desistir por completo da ideia da marcha, mas, àquela altura, tinha dúvidas sobre ela; ao que parece, demorava cerca de um mês, após os candidatos se filiarem, para receberem suas túnicas e poderem exibir com orgulho suas personalidades públicas como membros da Klan. Ele expressou o desejo de se encontrar pessoalmente comigo (Chuck) num futuro próximo, e a conversa chegou ao fim.

Meia hora depois, Ken ligou de novo para a linha telefônica de fachada da Narcóticos e pediu para falar com "Ron". Chuck não estava no escritório naquele momento, então, outro detetive da Narcóticos, fingindo ser ele (eu), falou com Ken, que lhe disse que acabara de saber pela Sede Nacional da Klan que a minha filiação havia sido aprovada. Foi assegurado ao detetive que o meu cartão de sócio chegaria pelo correio nos próximos dias.

No dia 28 de novembro fiquei sabendo que a divisão local da KKK tinha uma conta no Bank of Fountain Valley, localizado na State Highway 85-87, na região de Security, próxima a Fort Carson. A conta, em nome de Ken O'Dell e Jennifer L. Strong (mais tarde eu ficaria sabendo que ela tinha ligação com a Klan), também era vinculada à White Peoples Organization (Organização dos Povos Brancos). O depósito inicial era de 44 dólares.

Mais tarde, naquele mesmo dia, telefonei para Fred Wilkens em Lakewood, Colorado. Ele me disse que havia retornado recentemente da convenção nacional da Klan em Nova Orleans e que

David Duke confirmou que chegaria a Denver em 6 de janeiro de 1979. Wilkens contou que era provável que houvesse uma marcha planejada em Colorado Springs no dia 7 ou 8 de janeiro, em honra ao Grande Mago. Explicou que a incerteza baseava-se no fato de uma grande parte dos membros do estado não possuírem as túnicas brancas e, como eles queriam uma cobertura significativa da mídia, era imperativo que os manifestantes da Klan fossem vistos pela população no contexto simbólico de seus trajes.

Ken e Fred estavam obcecados com a ideia de os membros se apresentarem em peso com suas túnicas e capuzes, e acho que é importante darmos uma olhada na origem dessa indumentária, que instantaneamente provoca uma sensação de terror e ódio na cabeça de qualquer americano decente.

Desde a sua origem, em 1869, em Pulaski, Tennessee, a Ku Klux Klan e seus soldados confederados afiliados, sob a liderança do primeiro Grande Mago reconhecido, o general Nathan Bedford Forrest, usavam lençóis brancos com buracos recortados para deixar a boca, o nariz e os olhos à mostra, embora alguns expusessem apenas os olhos. De acordo com registros históricos, alguns até colocavam mantos brancos em seus cavalos. Para que propósito esse estratagema era utilizado?

Os escravos, recém-libertos, como sabiam seus senhores e a população branca em geral, mantinham fortes crenças supersticiosas em fantasmas e entidades sobrenaturais. Essas crenças eram fortes em especial com relação aos soldados confederados que tinham falecido havia pouco tempo. Com base nessas superstições, os membros originais da Klan procuravam tirar proveito dessa crença "sobrenatural" aterrorizando os escravos e fazendo-os acreditar que os cavalos e cavaleiros com lençóis brancos eram os espíritos fantasmagóricos daqueles soldados confederados mortos e seus corcéis, retornando à forma terrena para garantir que os costumes e tradições do Sul pré-Secessão fossem devidamente observados e mantidos pelos homens e mulheres libertos. O sucesso dos primeiros membros da Klan na realização desse objetivo iria, de fato, negar os resultados da recente guerra e a tentativa do governo de reconstruir o Sul física e moralmente derrotado.

Outra representação simbólica era a "cruz em chamas", queimada no terreno daqueles — fossem brancos ou negros — que os houvessem ofendido. Dá para imaginar o estado psicológico daqueles escravos supersticiosos diante da visão de uma "aparição fantasmagórica" de cavalos e cavaleiros e do espetáculo "demoníaco" da cruz em chamas como ato de vingança por supostos pecados contra as honradas tradições do "Velho Sul".

Tradicionalmente, a queima de cruzes ou "cerimônia de incendiar cruzes" é considerada uma celebração religiosa. Atear fogo num símbolo religioso nunca foi visto pelos membros da Klan como um sinal de profanação; sempre foi encarado como uma representação honrosa de sua fé e crenças cristãs. Mas, ao longo da história, eles usaram isso para causar terror naqueles que temiam a força e a ira da Klan. Em outras palavras, desde a sua fundação, a Ku Klux Klan e seus membros dedicaram-se à causa do terrorismo doméstico.

Embora tais crenças supersticiosas não mais persistam, os símbolos ainda são usados para induzir terror no coração e mente das vítimas da Klan.

A ideia de uma centena de membros da Klan vestidos com túnicas brancas marchando em formação repercutida em grande escala pela mídia faria exatamente isso — inspirar terror nos cidadãos, em especial os cidadãos negros de Colorado Springs e seus filhos pequenos, não acostumados com a visão dessas terríveis ações.

Wilkens mencionou que, quando estava em Nova Orleans, liderara pessoalmente a marcha, porque David Duke havia recebido ameaças de morte de membros do Partido Trabalhista Progressista. Disse que Duke se recusou a desistir de seus esforços intimidantes e que a marcha prosseguiu sem incidentes.

Wilkens afirmou que eles tinham recebido uma forte resposta negativa da população "crioula", mas a segurança fornecida pela polícia de Nova Orleans fora excelente e, para evitar um confronto com os "crioulos", a Klan havia cooperado com a polícia e conduzido a marcha uma hora antes do horário programado. Quando os "crioulos" se reuniram para o protesto encenado, a marcha já tinha sido concluída. Ele explicou que dois membros da Klan haviam sido presos porque portavam armas e as dispararam para cima a fim de "assustar os crioulos".

— Você viu o que aquele idiota do O'Dell disse à imprensa? — perguntou Wilkens. Eu tinha visto que Ken prometera cem membros da Klan vestidos com túnicas para a marcha de David Duke em janeiro. Como resultado, Wilkens afirmou que agora se sentia obrigado, como organizador do estado do Colorado, a corroborar a declaração de Ken; um grande número de membros sem túnicas deixaria uma má impressão da Klan nos meios de comunicação. Wilkens acrescentou que gostaria muito de me encontrar para discutir a estratégia de organização na região de Colorado Springs. Ele me pediu para ser seu intermediador junto à mídia em Colorado Springs e marcar entrevistas para o período em que David Duke estivesse na cidade. Eu lhe afirmei que ficaria honrado em fazer isso.

Wilkens disse que me mandaria um pacote — enviado para a caixa postal de fachada — contendo seu próprio exemplar do estatuto da Klan, a fim de que eu "pudesse aprender a me comportar de maneira apropriada nos moldes da Klan". Ele acrescentou que o meu cartão de membro também chegaria pelo correio na semana seguinte.

Perguntei a Wilkens se ele sabia se havia algum grupo extremista negro planejando atrapalhar a marcha proposta para janeiro. Ele respondeu que não, não tinha ouvido falar de nenhum grupo em particular planejando atrapalhar a marcha, mas a Klan estava preparada para lidar com qualquer situação no caso de uma contramanifestação. Afirmou ainda que, se houvesse tal ação, esperava que não fosse violenta; entretanto, se a violência irrompesse e fosse dirigida a qualquer membro da Klan, eles tomariam as medidas adequadas, sobre as quais não entrou em detalhes.

Nesse meio-tempo, enquanto eu fazia o acompanhamento dos vários nomes e informações que haviam sido acumulados até então, o movimento de protesto contra a Klan começou a ganhar força. Um exemplo foi relatado em um artigo que apareceu no extinto jornal *Colorado Springs Sun* (29 de novembro de 1978).

No artigo, o Committee Against Racism — CAR (Comitê Contra o Racismo) e o People for the Betterment of People (Povo pelo Bem do Povo) anunciaram que estavam transferindo sua marcha de protesto contra a Klan, que ocorreria no dia 21 de dezembro, para 16 de dezembro. Isso aconteceu após uma reunião de defensores dos direitos civis locais que contou com a participação de cerca de sessenta pessoas, com base em reclamações de estudantes do Colorado College de que a data original era muito próxima ao feriado de Natal e uma antecipação aumentaria a capacidade de se reunir um grande número de estudantes.

A principal razão para a reunião, no entanto, era discutir táticas destinadas a unir a oposição contra a Klan. A participação de sessenta pessoas foi notável, porque a reunião não foi divulgada, e sim notificada boca a boca num curto período de tempo. O aspecto mais perturbador dessa discussão tática foi oferecido por Doug Vaughn, da divisão de Denver do INCAR. Vaughn declarava ser membro tanto do INCAR como do PLP. As circunstâncias ditavam à qual organização ele reivindicava pertencer num determinado momento. A diferença entre os dois consistia em que o INCAR era para a população em geral e os membros do PLP tendiam a ser comunistas perseverantes e dedicados. Doug defendeu um confronto violento com a Klan: "Quando vermes racistas como a Klan e os neonazistas saem rastejando de baixo de uma pedra, acreditamos que devemos esmagá-los com a pedra, para levá-los de volta ao seu lugar".

Houve uma terceira posição tática oferecida em resposta à marcha da Klan em janeiro. A posição do Colorado College Black Student Union (União dos Estudantes Negros da Colorado College) era ignorá-la por completo. Seu porta-voz achava que isso mostraria à Klan que eles não tinham apoio da população. "As pessoas assistindo à TV em casa pensarão uma de duas coisas. Vão achar ou que a população está com medo ou que não dá a mínima. Nenhuma das duas são reações muito positivas".

Depois de muita discussão, o grupo chegou à conclusão de que a Klan era (1) esperta, (2) oportunista e (3) violenta, e poderia agir a qualquer momento. Acharam que precisavam se preparar de forma apropriada para conter qualquer ação imediata da Ku Klux Klan visando conquistar uma forte base dentro e contra o povo de Colorado Springs. Por fim, decidiram que a melhor reação a uma marcha da Klan seria ter um pequeno grupo distribuindo panfletos contra a Klan e segurando cartazes para que a população soubesse que havia oposição à Klan e conhecesse o verdadeiro propósito daquela organização. Eu compareci à reunião sob disfarce.

Participavam das reuniões contra a Klan principalmente estudantes universitários, alguns profissionais liberais, professores de faculdade e cidadãos apreensivos. Eram donas de casa e pessoas de todos os estratos sociais preocupadas que a Klan tivesse uma presença viável na cidade. Tais indivíduos não eram bem organizados nem tinham planos de ataque. Ficou claro que eram incapazes de se unificar — havia tantos grupos e objetivos diferentes que eles não conseguiriam chegar a um denominador comum.

Essa reunião evidenciava a ampla gama de posicionamentos viscerais em relação à presença emergente da Klan e a falta de consenso quanto ao melhor meio de abordar essa presença; as abordagens iam desde uma passeata, um confronto violento, a ignorar por completo sua presença até por fim ser decidido que iriam distribuir panfletos e segurar cartazes com slogans contra a Klan. O estado de espírito daqueles que professavam profunda preocupação por ter a Klan em seu meio variava de forma significativa.

No dia 1º de dezembro, um progresso importante ocorreu no relacionamento entre mim e Ken O'Dell. Ele ligou para Chuck a fim de anunciar uma reunião da Klan em sua residência e explicou que havia dois propósitos para a reunião: (1) Butch e sua esposa deixariam a região, retornando à sua base na Califórnia, e (2) ele (Ken) estava deixando o Exército e voltando para sua casa em San Antonio, Texas, em janeiro de 1979. Como resultado disso, a Klan precisaria de um novo organizador local. Ken disse a Chuck que ficara impressionado comigo durante nossas várias conversas e achou que eu (Chuck) "daria um excelente organizador local".

É claro que Chuck e eu fomos pegos totalmente desprevenidos por esse progresso excepcional. Nas minhas conversas telefônicas com Ken, nunca houve qualquer indicação de que ele estivesse remotamente pensando em seguir nessa direção. Se eu soubesse que ele estava considerando essa medida, eu, é claro, teria me sentado com o meu sargento e Chuck e tentado traçar algum tipo de resposta estratégica para sua declaração de que "Ron Stallworth" deveria assumir o papel de liderança da divisão de Colorado Springs dos Cavaleiros da Ku Klux Klan. O maior impedimento para toda essa operação era a questão do "flagrante preparado", e Chuck, como excelente investigador disfarçado que era, compreendeu de pronto o problema e levou-o em consideração em sua subsequente resposta.

Pensando sobre a questão legal de "flagrante preparado", Chuck tentou redirecionar o pensamento de Ken a respeito do assunto, dizendo-lhe que não sabia se algum dos outros membros receberia aquela ideia com o mesmo entusiasmo.

Como policiais disfarçados, sempre pensávamos em como evitar o flagrante preparado, que é quando um agente da lei engana intencionalmente um alvo e o induz a cometer transgressões. Então, por exemplo, nós não podíamos organizar a queima de uma cruz e prender os participantes da Klan por conspirar para aterrorizar Colorado Springs. Mas uma posição de liderança obviamente apresentava não apenas mais desafios, como também enormes recompensas em potencial.

Como investigadores disfarçados, a polícia pode usar com legitimidade várias formas de engodo para obter informações ou prender um suspeito, mas não pode persuadir uma pessoa inocente a cometer um crime que ela não estava predisposta a cometer, nem coagir um suspeito a fazê-lo mesmo que tenha certeza de que tal indivíduo é um criminoso. Todo investigador disfarçado deve manter a questão do flagrante preparado em mente durante o curso de uma investigação, pois ele se tornará o fundamento de qualquer esforço de defesa uma vez que uma prisão tenha sido efetuada. Um único deslize pode ser a diferença entre uma investigação fracassada ou bem-sucedida e o subsequente processo ou anulação.

Sempre que eu (ou Chuck) conversava com os membros da Klan, precisava ter o cuidado de não conduzir a conversa para um território que pudesse persuadir um deles a fazer algo que normalmente não imaginaria fazer. Isso muitas vezes era difícil, porque em geral eles pediam a minha (a nossa) opinião sobre quais passos ou direção eles deveriam seguir para executar algum plano de ação que muitas vezes os colocava em vias de conflito com o público ou, mais diretamente, com a polícia. Teria sido muito fácil para mim (ou para Chuck) manipular conversas que assegurariam que eles cometessem atos criminosos, permitindo sua prisão e julgamento. Em vez disso, conduzíamos (ou tentávamos conduzir) conversas dessa natureza para longe de atos de conflito, o que provou ser benéfico para o nosso objetivo de coleta de informações e ainda colaborava para a segurança e o bem-estar públicos. As regras do direito que governam o flagrante preparado sempre nos mantiveram sob controle e também nos impediram de cruzar o limite de nós mesmos cometermos atos criminosos.

Ken continuou a pressionar Chuck para comparecer à reunião em sua casa naquela noite e também para que ele considerasse substituí-lo no papel de organizador local. Chuck recusou o convite por causa de um compromisso anterior e também disse a Ken que preferia continuar sendo um membro "silencioso" da Klan, cuja identidade é mantida nas sombras, em vez de assumir o papel mais público de organizador local. Sua justificativa para essa preferência era seu trabalho para o Departamento de Obras Públicas de Colorado Springs. Muitas vezes usávamos empregos no funcionalismo municipal como ocupações de fachada ao conduzir investigações. Era uma fachada eficaz porque a administração municipal é uma grande engrenagem com milhares de funcionários.

Ken afirmou ter conversado com David Duke no dia anterior, que falou que chegaria a Colorado Springs em 6 de janeiro para uma visita de cinco dias. Se eles conseguissem reunir os cem membros trajados até janeiro, enquanto Duke estivesse na cidade, a marcha aconteceria conforme o planejado.

Em 5 de dezembro, Chuck telefonou para Ken, que lhe informou que haveria outra reunião em sua casa em três dias para discutir a substituição dos oficiais da divisão. Chuck concordou em estar lá. Em 8 de dezembro, Chuck, sob seu disfarce de Ron Stallworth, chegou à casa de Ken O'Dell e foi recebido por sua esposa, Anita. Ela provou ser uma anomalia no relacionamento Ken O'Dell-KKK por causa de sua origem étnica. Um dos grupos minoritários visados pela Klan são os mexicano-americanos, especialmente se uma divisão é dominante numa parte do país densamente povoada por esse grupo em particular. A Klan, entretanto, sempre terá negros e judeus no topo de sua agenda racista. No caso da esposa de Ken O'Dell, os dois eram de San Antonio, Texas, e ela era de ascendência mexicana. Chuck tomou a decisão acertada de não comentar sobre isso ao entrar na reunião.

Ken havia provado ser alguém não muito confiável em nossas interações. Estava sempre inventando fatos para fazer parecer ser mais importante do que era, citando números de membros tirados do nada e gabando-se de planos que não tinha como concretizar. Por mais frustrante e pouco confiável que ele fosse, ainda assim era um tremendo trunfo e uma porta de acesso ao mundo da Klan.

Havia sete pessoas presentes na casa de Ken (incluindo O'Dell e sua esposa), que mais tarde foram apontadas como sendo soldados em Fort Carson. Uma delas era Joe Stewart, que provaria ser um membro essencial da divisão da Klan. Ele foi apresentado a Chuck como o "segundo em comando" de Ken. "Tim" foi apresentado como o tesoureiro da Klan e "Bob", como o "Nighthawk" (guarda-costas). Essa foi a primeira revelação completa da estrutura de liderança da divisão da Klan. Ken explicou que a reunião possuía quatro pontos para discussão:

1. A possível ação judicial contra o jornal *Gazette Telegraph*
2. A introdução da KKK na Penitenciária Estadual do Colorado
3. O recrutamento de novos membros
4. A eleição de um novo organizador local

A ação judicial deles baseava-se num anúncio da Klan que o jornal supostamente concordou em divulgar por um determinado número de dias e do nada voltou atrás. Ken afirmou que Fred Wilkens e a organização de Denver apoiaram ingressar com o processo, e eles estavam entusiasmados com o avanço. Ken então passou para a questão da Klan na penitenciária. A população carcerária branca era um grupo a ser alvo de recrutamento. Ken destacou que eles haviam sido presos e tratados como criminosos negros e latinos. Precisavam saber que tinham irmãos do lado de fora que os apoiavam, e uma comunidade do lado de dentro na qual poderiam confiar. Chuck foi informado de que somente um dos detentos já havia recebido material de leitura da Klan. Ken não forneceu detalhes sobre o motivo de ter havido apenas um, nem se o sujeito ainda estava na prisão, se ele ainda recebia literatura sobre a Klan, ou se o material havia sido interceptado pelas autoridades da penitenciária.

O plano de Ken era começar a enviar cópias do jornal *The Crusader*, junto com os formulários de filiação à Klan, aos detentos brancos. Ele deixou claro que haveria uma tentativa ativa de organizar um "antro" (divisão) da Klan dentro da Penitenciária Estadual do Colorado em Cañon City, Colorado.

— Além de apoiar os homens na Penitenciária Estadual do Colorado, também quero conversar sobre estratégia de recrutamento — disse Ken. — Agora, precisamos de cem membros para a visita do senhor Duke em janeiro. Para conseguir isso, estou implantando uma nova política. Cada um de vocês precisa recrutar três novos membros. E, por sua vez, esses três membros recrutarão três membros e assim por diante. Dessa forma, vamos crescer exponencialmente. — Do outro lado da escuta, eu pude imaginar o sorriso presunçoso no rosto de Ken enquanto pronunciava errado a palavra "exponencialmente". Mas também achei que isso representava uma oportunidade para expandir a minha investigação. Fazendo com que Chuck trouxesse pelo menos outro policial, eu poderia dobrar o meu efetivo.

Ken, então, levantou a questão da eleição de um novo organizador local. Ele sentia que havia uma necessidade imediata de ter alguém que não fosse militar assumindo as rédeas da liderança. Esse tipo de pessoa seria o melhor representante para a Klan, porque não seria prejudicado por regulamentações militares ou prazos relativos a missões, dispensa etc.

Sem mais alarde, Ken anunciou aos presentes que selecionara Ron Stallworth (Chuck) como sua escolha para ser o novo organizador local. Como justificativa para sua decisão, Ken explicou que eu (Chuck) havia provado ser "um membro da Klan leal e dedicado". Em seguida, pediu aos outros que opinassem, e por unanimidade eles confirmaram apoio à sua decisão.

Pessoalmente, eu achava que seria excelente para a investigação se "Ron" se tornasse organizador da Klan. Seria mais arriscado, claro, mas com um potencial bem mais compensador. Conseguiríamos fazer isso, eu sabia, se trabalhássemos em estreita colaboração com o promotor em cada movimento da operação. Estando numa posição de semiliderança, teríamos muito mais conhecimento e informação à nossa disposição.

Chuck, justiça seja feita, estava mais uma vez ciente do flagrante preparado e das consequências de estar numa posição de tão alta responsabilidade e como isso poderia afetar a direção e o possível resultado dessa investigação se ela chegasse à conclusão final com múltiplas acusações criminais e prisões. Ele agradeceu a Ken e aos outros pela "grande honra", mas afirmou que não tinha certeza se poderia dedicar o tempo necessário para cumprir os deveres de organizador local. Ken descartou esse questionamento e expressou confiança na minha capacidade (na capacidade de

Chuck) de organizar minha agenda para encaixar as atribuições necessárias de um organizador local. Nada mais foi mencionado sobre o assunto pelo restante da noite, embora a questão estivesse longe de ser esquecida.

Várias vezes durante a reunião, Ken comentou sobre o tema da violência. Oficialmente, eles seguiam o exemplo de Martin Luther King Jr., na verdade. A ação e a organização não violentas de fato mudaram a cultura americana. Mas ficou evidente que Ken trilhava um caminho diferente. Enquanto eu ouvia a discussão da noite pelo transmissor sem fio preso ao corpo de Chuck (eu estava sempre num dos veículos de vigilância durante essas reuniões cara a cara) e em discussões posteriores com ele após a reunião, concluímos que Ken apoiava qualquer tipo de violência contra aqueles que não eram membros da Klan, apesar das declarações anteriores de uma crença não violenta.

Ken queria organizar um grupo para ir a El Paso para uma "guarda de fronteira". Isso significaria vigiar a fronteira em seus carros e caminhões com rifles com mira e atirar em qualquer um que vissem tentando atravessar o Rio Grande. Uma vigilância armada da Klan ao longo da fronteira com o México nesse trecho condizia com a abordagem de David Duke em relação ao controle de imigração.

Após a reunião, Ken mostrou a Chuck com orgulho seu arsenal de treze fuzis e espingardas e uma antiga pistola de percussão e seu equipamento para recarregar munição. Ele comentou que tinha outras armas em todos os cômodos da casa e que também levava armas em cada um de seus veículos. Essa era uma informação valiosa a se conhecer, caso tivéssemos que cumprir um mandado de busca em sua residência ou tentar prendê-lo enquanto ele estava em trânsito.

Pouco antes de Chuck ir embora, Ken mostrou-lhe uma folha de papel com cerca de 25 nomes que ele revelou representarem os membros de divisão local — "Todos que você irá liderar", disse. Ele reiterou que, se cada um trouxesse três recrutas, a organização cresceria substancialmente. Infelizmente, Ken apenas mostrou a lista para Chuck, que não conseguiu memorizá-la. Mas estava claro que a adesão, por mais restrita que essa fraternidade diabólica pudesse ser, era maior do que havíamos pensado.

Ken acompanhou Chuck até a porta, apertou a mão dele e enfatizou novamente que ele daria um bom organizador. Chuck agradeceu e partiu. No carro, do lado de fora, dei um suspiro de alívio pelo fim da reunião e comecei a dirigir de volta para a delegacia, sabendo que a Klan em minha cidade era mais poderosa do que eu tinha conhecimento, mas também empolgado por que minha investigação certamente se expandiria.

6

PARTE DA NOSSA POSSE

Após a reunião na casa de Ken, eu imediatamente fiz uma solicitação para o sargento Trapp, a fim de expandir minha equipe sob disfarce. Nós precisávamos que Chuck apresentasse pelo menos um novo membro. Trapp, como sempre, apoiava por completo a minha investigação e de pronto foi até o chefe de polícia liberar outro policial disfarçado para que se juntasse à minha equipe. Arthur, como esperado, não ficou feliz com isso, mas não tinha poder de decisão no assunto. Como eu não prestava contas a ele, ele não podia interferir na minha investigação. Escolhi Jimmy para acompanhar Chuck. Fazia muito sentido, uma vez que ele já estava me ajudando com as missões de vigilância. Agora, com um novo "recruta", eu estava pronto para investigar a Klan ainda mais a fundo.

Em 11 de dezembro, fiz uma visita a Guy Thomas, um investigador da Unidade de Inteligência da Penitenciária Estadual do Colorado, em Cañon City. Eu queria discutir os planos de Ken para expandir a filiação à Klan dentro da prisão. Eu o alertei para o fato de que a Klan iria tentar recrutar presos através de correspondências com material de leitura da Klan. Thomas me informou que um jornal da Klan, *The Crusader*, havia sido confiscado de um detento originário do condado de Weld, na região norte do estado, na fronteira com Wyoming, e lar da Universidade do Norte do Colorado, em Greeley. Esse detento, de acordo com o investigador Thomas, agora afirmava ser membro da Klan e havia recrutado um colega presidiário. Um terceiro prisioneiro recebia o jornal direto da sede da Klan em Metairie, Louisiana. Um quarto preso recebia cartas de um membro do National Socialist White People's Party — NSWPP (Partido Nacional Socialista do Povo Branco) de Arlington, Virgínia. O investigador Thomas prometeu me manter informado sobre quaisquer novos desenvolvimentos dentro do sistema prisional.

Naquele mesmo dia, Chuck recebeu um telefonema de Ken informando que tinha boas notícias. Dois dias antes, ele recebera uma ligação de membros da Posse Comitatus local, expressando o desejo de trabalhar em cooperação com a Ku Klux Klan. Isso representava um grande progresso em potencial, porque a Posse Comitatus era, na época, um dos mais importantes grupos ideológicos de extrema direita no Colorado.

"*Posse Comitatus*" é um termo em latim que significa "força do condado", uma espécie de milícia. Sendo um movimento social de extrema direita, se opunha ao governo federal, preferindo o "localismo", ou que não havia uma forma legítima de governo acima daquela do nível do condado, com o xerife sendo a mais alta forma de autoridade legal. Se, na opinião dela, o xerife se recusasse a cumprir a vontade dos cidadãos, "ele devia ser removido pela Posse até o cruzamento de ruas mais movimentado do município e, ao meio-dia, ser pendurado pelo pescoço até o anoitecer, como um exemplo para aqueles que poderiam subverter a lei".

Alguns membros da Posse eram adeptos do sobrevivencialismo e seriam ativos na formação de milícias civis armadas nos anos 1990. Assim como a Ku Klux Klan, adotaram as crenças antissemitas e supremacistas brancas de que o governo federal está sob o controle do Governo de Ocupação Sionista (Zionist Occupied Government — ZOG), parte de uma conspiração judaica.

Uma das táticas pioneiras da Posse na década de 1970 e utilizada com frequência em Colorado Springs para aterrorizar a polícia e outras autoridades do governo foram as falsas hipotecas contra a propriedade e outras formas de terrorismo no papel. Essas hipotecas prendiam as vítimas no tribunal por um longo tempo e as forçavam a gastar dinheiro e outros recursos em honorários advocatícios para defender o que era legalmente delas. Eu mesmo soube de policiais que tentaram vender suas casas e descobriram mais tarde, a certa altura do processo, que não poderiam fazê-lo por causa de empréstimos da Posse apresentados contra eles.

Como policial uniformizado, às vezes eu me deparava com membros da Posse durante as blitzes de trânsito rotineiras. Como eu era policial municipal e não um ajudante do xerife, eles se recusavam a reconhecer a minha autoridade e desafiavam abertamente o meu direito de pará-los, e ainda mais o de falar com eles. O fato de eu ser negro não era encarado de forma amigável por eles, porque, como a Klan, eles viam com maus olhos qualquer pessoa que não tivesse pele branca. Eles questionavam nossas ações no tribunal sob a crença equivocada de que a nossa autoridade não era sancionada pela Constituição dos Estados Unidos, e sempre perdiam. Nossa Unidade de Inteligência monitorava continuamente a Posse e seus membros, mas nunca havíamos sido capazes de iniciar uma investigação sob disfarce em seu grupo de maneira semelhante à investigação da KKK.

A declaração de Ken sobre uma possível fusão dos dois grupos foi, portanto, uma reviravolta significativa na investigação e despertou grande interesse não apenas em mim, mas também no meu sargento. A questão era como poderíamos, naquelas circunstâncias, explorar a situação a nosso favor e expandir o escopo da investigação. A Posse Comitatus era uma grande dor de cabeça para os policiais da época, e Ken, querendo se unir à PC, gerou uma gama única de problemas. Era uma vantagem para nós ter esses dois grupos separados, já que a sua união somente os fortaleceria, mas com a fusão também surgiu a oportunidade de informação. Seríamos capazes de identificar os membros e nossa investigação só ampliaria. A PC era maior do que a Klan no Colorado, e seus membros eram, falando sem rodeios, loucos. Eles portavam armas nas ruas, nas lojas, em todos os lugares, sem preocupação de escondê-las. Estavam descarregadas, de acordo com a lei, mas, como policial, como você poderia saber se uma arma ostentada abertamente estava ou não carregada? Eles eram, no geral, homens furiosos e perigosos.

Ken disse a Chuck que estava impressionado com os pontos de vista da Posse. Afirmou que no dia anterior ele havia hospedado alguns membros da Posse em sua casa, e eles, por sua vez, o tinham convidado para participar de uma reunião programada para o dia seguinte, 12 de dezembro. Ken acrescentou que fora autorizado a levar mais dois representantes da Klan com ele, e Bob, o tesoureiro da organização, com certeza seria um deles. Ele me informou que ainda estava se decidindo, para ser o segundo representante, entre Bob, o guarda-costas, Joe, seu segundo em comando, e mim, Ron Stallworth, e avisaria em breve quem fora o escolhido.

Ken esperava que Fred Wilkens pudesse participar da reunião da Posse, porque queria exibir o filme *O Nascimento de uma Nação*, de D. W. Griffith, mas Wilkens não pôde comparecer, então o plano foi cancelado. Ele sugeriu uma segunda reunião especial com a Posse na semana seguinte, em 19 de dezembro, para a exibição do filme com Wilkens presente. A importância de *O Nascimento de uma Nação* em relação à moderna Ku Klux Klan não pode ser exagerada.

Baseado num romance de Thomas Dixon Jr., um pastor da Carolina do Norte, o filme foi lançado em 1915 pelo aclamado diretor D. W. Griffith. No início do cinema mudo, com seus curtas-metragens de comédia pastelão, *O Nascimento de uma Nação* foi um épico panorâmico de duas horas e 45 minutos que estabeleceu os padrões da indústria cinematográfica para a época. Até a década de 1960, era citado como o maior filme americano, de acordo com o falecido crítico de cinema Roger Ebert numa resenha sobre o filme e seu impacto. Na verdade, por muitos anos no início do século XX, *O Nascimento de uma Nação* foi considerado o filme mais popular já produzido e pensado para expressar as posições difundidas e em geral aceitáveis dos americanos brancos. Na resenha feita por Ebert em 2003, ele cita a estrela feminina do filme, Lillian Gish, relembrando a resposta paternalista de Griffith às acusações de que ele era contra os negros: "Dizer isso é como afirmar que sou contra crianças, já que os negros eram nossos filhos, a quem amávamos e cuidávamos por toda a nossa vida". Griffith era um sulista branco incontrito do século XIX, cujo filme refletia as atitudes de seus pares, que eram incapazes de enxergar os americanos negros como semelhantes dignos de direitos.

O Nascimento de uma Nação contava a versão da história do ponto de vista da Klan, uma narrativa da lenda da Klan como a salvadora do Sul durante a Reconstrução. Sob essa óptica, o filme mostra o heroísmo das grandes batalhas da Guerra Civil, os estereótipos dos negros como estupradores sexualmente enlouquecidos e servos leais a seus mestres brancos, os mitos da Reconstrução, os parlamentares do Norte que queriam punir o Sul pela guerra, os oportunistas (nortistas que, depois da guerra, buscavam ganhos particulares no Sul por meio do programa de Reconstrução do governo), e legisladores e soldados negros da Reconstrução loucos pelo poder.

O filme conta a história de amor entre um coronel do Sul e a enfermeira que cuidou dele. À medida que o suspense vai sendo construído, a irmã do coronel salta para a morte para evitar ser estuprada por um "negro lascivo". Assustada com esse ultraje, a Ku Klux Klan entra em cena para livrar a terra do flagelo que recaiu sobre ela. A fim de pavimentar o caminho para a aceitação generalizada do filme, Thomas Dixon, um antigo colega de classe do presidente Woodrow Wilson, organizou uma exibição privada para ele, seu gabinete e suas famílias. Foi relatado que o presidente saiu da exibição muito comovido pelo filme, declarando "é a História escrita em relâmpagos. E só lamento que tudo seja tão terrivelmente verdadeiro".

O filme arrecadou 18 milhões de dólares (o equivalente a 409 milhões de dólares em 2013). Seu impacto foi tão poderoso que muitas vezes se creditou a ele as condições para o renascimento da Klan em 1915.

William J. Simmons, o homem que assumiu o título de Grande Mago e iniciou o renascimento, reconheceu o valor propagandístico de *O Nascimento de uma Nação* para a Klan e o usou como ferramenta promocional para conquistar recrutas para a organização. Líderes modernos da Klan, incluindo Ken, Wilkens e o sucessor de Simmons como o Grande Mago, David Duke, ainda usavam o filme como um artifício de recrutamento e forneciam sua própria narrativa pessoal para o público, a fim de mobilizá-lo para a causa.

Ken disse a Chuck que um colaborador da Posse Comitatus possuía um sabre e uma fivela de cinto originais da KKK, pertencentes ao primeiro Grande Mago, o general Nathan Bedford Forrest, e que queria comprá-los. Ele acrescentou que outra boa razão para unir forças com a Posse era que eles ofereciam um curso de 65 dólares sobre como evitar o pagamento de imposto de renda. Ele insistia que o imposto de renda era inconstitucional, e o curso oferecia os formulários e ensinava a maneira correta de preenchê-los para protestar contra o pagamento de qualquer tipo de imposto. Se os dois grupos se unissem, Ken declarou, ele recomendaria que todos os membros da Klan fizessem o curso.

Nesse ponto da conversa, Ken começou a pressionar Chuck sobre o fato de que ele era, até então, o único membro da Klan que ainda não recomendara nem uma pessoa para as novas filiações. Ken estava mentindo, ninguém mais apresentara três membros, mas sua insistência para que Chuck — ou, melhor dizendo, "Ron" — trouxesse novos membros e se tornasse um organizador estava começando a representar um problema real. Há um limite de vezes que se pode responder "Estou tentando" antes que pessoas como Ken fiquem zangadas ou, pior, desconfiadas.

Depois que Chuck informou que tentaria convencer um amigo a ir a uma entrevista, Ken disse que, se Chuck quisesse permanecer como membro "silencioso", ele conduziria a entrevista como se o próprio Chuck fosse um novo recruta. O que significa que Ken faria Chuck fingir ser um recruta que estava vindo pela primeira vez ao lado de quem quer que ele levasse.

O dia 11 de dezembro provou ser muito produtivo na obtenção de informações, numa investigação que mal chegava a um mês de duração. Também provou ser o início de uma ligeira mudança de direção no âmbito da investigação, porque fui contatado em pessoa por um sargento da Força Aérea ligado ao NORAD (North American Aerospace Defense Command — Comando de Defesa Aeroespacial da América do Norte). O NORAD é uma missão militar conjunta entre americanos e canadenses encarregada do alerta, controle, soberania e defesa aeroespacial do continente norte-americano.

A missão "inclui o monitoramento de objetos feitos pelo homem no espaço e a detecção, validação e alerta de ataques contra a América do Norte, seja por aviões, mísseis ou veículos espaciais, por meio de acordos de apoio mútuo com outros comandos". Foi criada em 1958, como resultado da Guerra Fria, com a principal instalação técnica localizada no interior da Montanha Cheyenne, no lado oeste da Interstate 25, em frente ao Fort Carson. É considerada uma instalação de "Alta Habilitação de Segurança".

Fui contatado pelo NORAD porque a notícia de um policial negro comandando uma investigação sob disfarce sobre a KKK havia começado a circular no meio policial. Por exemplo, eu estava testemunhando num antigo caso de drogas quando, durante uma pausa na ação entre advogados, o juiz cobriu o microfone, inclinou-se para mim e perguntou como estava indo minha investigação da KKK. Quando perguntei como ele sabia disso, ele respondeu que todo mundo estava comentando sobre isso. Em outras ocasiões, eu entrava no "bar de tiras" local, do outro lado da rua, em frente ao tribunal, onde os agentes da justiça criminal se reuniam depois do trabalho e, às vezes, era recebido com um pedido para ver o meu cartão de associado da KKK, que eu carregava na carteira. Inevitavelmente, alguém sempre me pagava uma bebida e oferecia um brinde em meu nome alto o bastante para qualquer um ouvir: "Para o único homem negro louco o suficiente para se juntar à KKK". Copos eram erguidos em minha direção e então alguém dizia: "Mostre-nos o seu cartão da KKK".

O conhecimento desse fato era ainda mais difundido no departamento de polícia. Éramos cerca de 250 agentes da lei, perdendo em número apenas para o Departamento de Polícia de Denver; com pessoal de apoio civil, nosso efetivo total talvez passasse um pouco de 300. Em muitos aspectos, éramos como uma cidadezinha do interior onde todo mundo conhece todo mundo e seus segredos pessoais não são tão pessoais assim.

Eu me vi respondendo cada vez mais perguntas de vários policiais que almejavam uma via para se inserirem na investigação de alguma forma. Alguns desses policiais estavam buscando entrar para a Unidade de Inteligência e achavam que poderiam ficar bem na fita fazendo algo importante em relação à investigação; ao me bajularem pensando na vaga, contavam em me ter como aliado em sua luta para serem designados para a unidade. Outros desejavam fazer parte de uma investigação única, que estava causando furor no sistema de justiça criminal, e queriam que seus nomes fossem associados a ela. Toda a fofoca sobre o caso não me entusiasmou muito, mas não posso negar que estava orgulhoso do meu trabalho, e um pequeno elogio de vez em quando é bom.

O sargento do NORAD se apresentou pelo telefone e logo me adiantou que também era negro. Ele me contou que morara em várias cidades durante sua vida: Indianápolis, Chicago, St. Louis e Petersburgo, na Virgínia, e testemunhou a atividade da Klan em algumas delas durante a década de 1960. Ele tinha plena ciência do que a Klan era capaz de fazer para destruir uma comunidade e prejudicar as pessoas que viviam lá e queria fazer o que estivesse ao seu alcance para impedi-los de proceder da mesma forma em Colorado Springs.

Antes de entrar para a Força Aérea, dezoito anos antes (1960), em diferentes épocas ele tinha sido membro "de carteirinha" tanto dos Muçulmanos Negros quanto do Partido dos Panteras Negras, e ainda mantinha contato com membros de ambos os grupos. Cerca de dez dias antes, ele recebera uma ligação de um integrante muçulmano em Chicago, um colaborador de Louis Farrakhan, que queria saber sobre o "clima" em Colorado Springs desde o surgimento da Klan.

O sargento revelou que o integrante muçulmano queria saber se os cidadãos negros de Colorado Springs apoiariam uma manifestação contrária à Klan liderada por um pequeno grupo de muçulmanos de Chicago e se seria necessário algum "maquinário" (armas).

O sargento afirmou que disse a ambos os grupos que o clima em Colorado Springs não estava pronto para tal atividade e sugeriu que não fossem à cidade. Ele achou que os Panteras Negras seguiriam seu conselho; no entanto, acreditava que os muçulmanos estavam preparados para chegar mais ou menos na mesma época que David Duke. Ele acrescentou que, se os muçulmanos não fossem se manifestar contra Duke, provavelmente tentariam abrir uma mesquita em Colorado Springs. Ele se ofereceu para cooperar com a minha investigação, apresentando-me a quaisquer panteras ou muçulmanos que pudessem aparecer na cidade. Essas forças poderiam estar se opondo a um grupo de ódio supremacista branco, mas também apresentavam seus próprios problemas para mim como agente da lei — violência, drogas.

Agradeci ao sargento pelo telefonema, disse-lhe que não seria útil ter essas forças em Colorado Springs, e que era do interesse não apenas dele, mas também da cidade que eles ficassem onde estavam. Eles seriam, por falta de uma expressão melhor, agitadores de fora.

Em 12 de dezembro, recebi um relatório de patrulheiros uniformizados do Departamento de Polícia de Colorado Springs sobre Michael W. Miller, um soldado de Fort Carson. Os policiais responderam a uma queixa de tumulto no The Bunny Club, um bar popular frequentado por integrantes do exército. Miller, após uma discussão com o pessoal do bar a respeito de lhe terem dado troco a menos, começou a xingar o dono do bar. Ele tirou um "cartão de visita" de sua carteira e o atirou no balcão, dizendo: "Eu deveria tacar uma bomba neste lugar. Eu já fiz isso antes".

O cartão exibia o logotipo impresso dos Cavaleiros da Ku Klux Klan com o endereço e número de telefone da sede nacional em Metairie, Louisiana, e a frase "Pureza Racial é a Segurança da América", que se tornou o slogan da campanha de Duke em sua primeira candidatura ao Senado pelo Estado da Louisiana. Estampado no lado esquerdo da frente do cartão constava o nome White People Org, o mesmo título da corporação ligada à conta bancária da KKK em nome de Ken O'Dell. O cartão também trazia a caixa postal 4771, o mesmo número de caixa postal publicado no anúncio de jornal que eu respondera em outubro.

Quando confrontado por policiais, Miller a princípio negou ter colocado o cartão no balcão, mas depois alegou que não era crime carregar cartões da KKK e distribuí-los. Ele também mostrou aos policiais um cartão (de número 3860), emitido pelo Estado de Oregon, que o autorizava a comprar explosivos. Ele disse aos policiais que foi treinado em explosivos pelo Exército dos EUA. Os policiais determinaram que ele estava visivelmente embriagado, retiraram-no do bar e o entregaram às autoridades militares.

Na sequência desse incidente, entrei em contato com oficiais da Polícia Militar de Fort Carson/CID (Criminal Investigation Detachment — Destacamento de Investigação Criminal) e soube que Miller era um notório alcoólatra, cujo trabalho era de reconhecimento, e que ele era, de fato, treinado no uso de explosivos.

O primeiro sargento de Miller — um homem negro — disse que estava ciente do envolvimento dele com a KKK, já que Miller havia declarado esse fato para ele em várias ocasiões. De fato, o sargento disse que Miller já lhe havia feito antes uma ameaça implícita dizendo que havia polido uma bala calibre .30-06 gravada com o nome dele e pretendia presenteá-lo com ela um dia.

Quando perguntei o que o sargento havia feito para disciplinar Miller por essa óbvia violação de conduta, as autoridades militares nada disseram. O sargento, ao que parece, apenas riu dele por "Miller estar sendo Miller". Seu alcoolismo continuou, seu envolvimento com a KKK continuou e suas ameaças implícitas à vida do sargento continuaram. Miller continuou sendo ele mesmo, o que, aos olhos de seu primeiro sargento — um homem negro — era, ao que tudo indicava, "normal". Os militares eram apáticos e apenas aceitavam o fato de que esse homem — esse soldado representando o governo e o povo dos Estados Unidos — era um racista declarado e membro da Ku Klux Klan.

Mais tarde, naquele mesmo dia, liguei para David Duke, em sua sede na Louisiana, para falar sobre a situação do meu cartão de membro da Ku Klux Klan. Duke atendeu ao telefone e eu me apresentei como Ron Stallworth, um dos novos membros da divisão de Colorado Springs que havia conversado antes com ele.

— Oh, sim. Olá, como vai você? — ele perguntou. David Duke sempre era muito cordial, chegava até a ficar empolgado por falar com um recruta novo e desconhecido. Eu disse a ele que fazia quase dois meses que enviara o meu pedido de adesão à sede nacional e ainda não tinha recebido o meu cartão. Que estava ansioso para receber o cartão porque não podia participar de forma integral de nenhuma atividade da Klan até que minha inscrição fosse oficialmente processada e eu tivesse o cartão em mãos. Que estava desesperado para me envolver nos correntes esforços para recuperar a raça branca da mídia dominada por negros e judeus, mas por causa das regras da Klan eu estava impedido de participar. Expressei para o "senhor Duke" a minha frustração e perguntei se ele poderia fazer alguma coisa para resolver o problema.

Ele me disse para esperar um instante e ouvi o som distinto de papéis sendo manuseados ao fundo. Depois de alguns minutos, ele localizou minha inscrição com a taxa de filiação anexada. Ele pediu desculpas pelo atraso no processamento, afirmando que nos últimos tempos eles haviam tido alguns problemas administrativos no escritório e estavam sobrecarregados.

— Eu prometo tratar pessoalmente da sua inscrição, senhor Stallworth — ele me assegurou —, e enviá-la pelo correio para você o mais rápido possível. — Eu lhe agradeci bastante e encerrei a conversa.

Para ser franco, era difícil manter a compostura ao falar com David. Também era muito difícil guardar para mim mesmo minhas reais opiniões. Quando fui confrontado com esse racismo descarado, ele sinceramente pareceu muito ridículo. Uma bobajada só.

O sargento Trapp ouvia minhas ligações para Ken, David ou Fred Wilkens e começava a gargalhar, correndo para fora da sala porque ele poderia ser ouvido no telefone.

De um jeito estranho e sombrio, nós estávamos nos divertindo.

Em 13 de dezembro, Ken telefonou para Chuck para atualizá-lo sobre a Posse Comitatus. A reunião marcada originalmente havia sido adiada até mais tarde naquele dia e ele confirmou que Fred Wilkens participaria do encontro e *O Nascimento de uma Nação* seria exibido. Chuck concordou em comparecer depois que Ken lhe disse que precisava ver o xerife sobre um incidente que tivera com um "garoto crioulo". Ao que parecia, ele tivera uma briga com um adolescente negro em sua vizinhança, e queria planejar algum tipo de retaliação com Fred, algo que nunca pude confirmar.

Chuck contou a Ken sobre um amigo dele que estava interessado em se juntar à Klan. Ken estava pressionando a todos para recrutarem três novos membros, mas havia enfatizado a Chuck em particular que ele não apresentara nenhum potencial novato, e animou-se com essa notícia. Disse que estava ansioso para conhecer o amigo de Chuck e entrevistá-lo para ser membro. Eles concordaram em se encontrar às sete horas da noite, no Corner Pocket Lounge.

Às 19h, Chuck e o detetive da Narcóticos do DPCS James (Jimmy) W. Rose encontraram-se com Ken na hora e no local combinados. Eu estava no meu lugar de costume, no carro do lado de fora. Com Ken, estavam Bob, o guarda-costas, e Tim, o tesoureiro. Enquanto Ken se sentava numa mesa com Jim, explicando sobre a Klan, Bob, claramente tentando separar Chuck da conversa entre Jim e Ken, convidou Chuck para uma partida de sinuca.

Enquanto jogavam, Bob contou a Chuck que todos os soldados que ele conheceu na casa de Ken no dia 8 de dezembro eram membros da Klan desde 1º de novembro. Falou que a divisão local tinha cerca de 24 membros, a maioria, militares. Ele também informou que os membros apoiavam totalmente a escolha de Ken para que Chuck (eu) fosse seu substituto como organizador local.

Chuck mais uma vez tentou desviar desse assunto dizendo a Bob que não estava interessado no posto. Pouco tempo depois, Tim também se juntou à conversa sobre o cargo de organizador local. Ele também achava que Chuck era a pessoa apropriada para o trabalho, "devido à sua posição na comunidade".

Tínhamos causado uma impressão positiva em Ken porque tanto Chuck quanto eu havíamos simplesmente vomitado o mais repugnante ódio desde o primeiro telefonema e reforçado esses sentimentos. Como investigadores sob disfarce, nunca provocamos Ken, que era — não há como frisar isso o suficiente — um total idiota. Nós afagamos o seu ego, fizemos com que se sentisse um grande líder. Ken nunca suspeitaria de alguém que achasse que ele estava fazendo um ótimo trabalho. Isso foi necessário para o sucesso da investigação.

Tim disse que, quando ele fosse dispensado do Exército, retornaria a Boston para montar sua própria "Klan" (divisão).

Enquanto Bob e Tim estavam ocupados com Chuck, Jim, por sua vez, conversava com Ken e uma mulher branca chamada Carole, que tinha aparecido para falar com Ken sobre se juntar à Klan. Ela era uma caminhoneira autônoma que alegava que sua razão para querer se filiar era que, onze anos antes, havia sido atacada por membros do Partido dos Panteras Negras. Ela contou a Jim e Ken que, por causa daquele incidente, portara ilegalmente uma arma de fogo durante todos esses anos — na bota que estava usando — e estava esperando uma oportunidade de se juntar a uma organização como a Ku Klux Klan.

Com seu papo de vendedor, Ken disse para Jim e Carole que seu projeto mais importante no momento era "ajudar as famílias pobres e carentes de Colorado Springs". Contou ter recebido vários telefonemas de famílias que precisavam de auxílio, mas os cidadãos de Colorado Springs não responderam aos pedidos de ajuda financeira que publicara no jornal.

Ken afirmou que, caso fosse necessário, ele abriria sua própria casa para as famílias brancas necessitadas para um jantar de Natal e também buscaria doações de produtos em conserva nos supermercados locais. Então, lançou-se num discurso sobre a atual filosofia da Ku Klux Klan. Segundo ele, essa "nova" Klan renovou sua força em 1954, quando eles decidiram que não queriam mais seu nome associado à violência.

A "nova" Klan, de acordo com Ken, era agora um partido político e eles esperavam em breve concorrer com candidatos legais nas eleições para o Senado, a Câmara dos Representantes e várias candidaturas estaduais para governador. Segundo ele, David Duke esperava concorrer nas próximas eleições gerais para presidente dos Estados Unidos. A visão de Ken de que a "nova Klan era agora um partido político" estava em sintonia com a estratégia de Duke relacionada à mudança da imagem tradicional da Klan como sendo apenas um bando de caipirões sulistas ignorantes, barrigudos, bebedores de cerveja, que mascavam tabaco.

    Ken prosseguiu dizendo que a Klan solicitava que todos os seus membros se tornassem eleitores registrados. Ele observou que foi assim que os negros ganharam poder político com o passar dos anos, registrando mais eleitores para sua causa e mudando a dinâmica política ao longo desse processo. Agora, era hora de colocar a ideologia da Klan na atuação política e reivindicar o país.

    Voltando ao assunto da violência, Ken alegou que não era contra represálias violentas e/ou físicas em relação aos inimigos da Klan, desde que o nome da Organização não estivesse associado a tais atos.

    Nesse ponto, Ken entregou a Jim e Carole os formulários para se juntarem à Ku Klux Klan, e foi aí que Jim quase arruinou toda a investigação. Devido ao nervosismo, ele assinou o formulário com seu nome verdadeiro, em vez de Rick Kelley, seu nome de fachada. Carole estava ao lado dele, preenchendo seu próprio formulário. Jim gesticulou para Chuck se aproximar, e sussurrou para ele:

    — Eu assinei com meu nome verdadeiro. O que eu faço?

    — Amassa isso. Agora. Aí peça outro — murmurou Chuck com os dentes cerrados.

    Então, Jim amassou o seu formulário e o jogou no lixo.

    — Ei, Ken. Pode me dar outro formulário? Eu estraguei o meu.

    — Bem, não pode estar tão ruim assim. Deixe-me ver — disse Ken.

    — Ah, eu já joguei fora. Me desculpe — respondeu Jim. E Ken imediatamente foi até o lixo e pescou o formulário.

    — Não. Não. Não — apavorou-se Jim, tentando parecer o mais despreocupado possível, enquanto ao mesmo tempo tentava de forma desesperada se certificar de que Ken não desamassasse o formulário e lesse seu verdadeiro nome. — Você pode apenas me dar um novo? Eu não quero enviar um formulário todo amassado.

Ken deteve-se, pensou por um instante, depois deu de ombros e respondeu "claro", mas não sem antes meter no bolso o formulário amassado.

Jim terminou de preencher o novo formulário e entregou a Ken a taxa de adesão de 45 dólares (dos fundos oficiais do DPCS) junto com uma foto Polaroid que havia sido tirada no meu escritório antes de partirmos para o encontro.

Ken continuou seu testemunho pessoal, reconhecendo que estava carregando de forma ilegal uma arma no bolso e sempre portava uma por questão de proteção. Ele disse que fazia isso porque a Klan esperava uma guerra racial antes das eleições gerais de 1984, e ele estava se preparando para isso. Acrescentou que tinha duas espingardas, vários rifles e pistolas, com munição disponível para todas elas, visando a guerra racial. Estava muito claro que todos na Klan, e em especial na Posse, eram loucos por armas.

A Unidade de Inteligência do Departamento de Polícia de Colorado Springs tinha um dossiê sobre a Posse Comitatus e estava bem ciente de sua ideologia sobrevivencialista e antigovernamental. Eu, assim como todos os membros da nossa unidade, conhecia seu líder, Chuck Howarth. Conversávamos com ele de vez em quando: raramente uma interação cordial, quase sempre um enfrentamento da autoridade policial, que poderia facilmente ir num crescendo a ponto de necessitar do emprego de força letal.

Ao lidar com Howarth, precisávamos estar alerta porque ele tinha um fascínio por armas. Uma vez ele me questionou sobre o meu revólver Magnum .357, que eu portava na época, e como ele se comparava à sua escolha preferida, um .45. Toda vez que eu tentava mudar de assunto, para a razão de eu tê-lo procurado, Howarth continuava com o seu monólogo até que eu, por fim, no tom mais educado, respeitoso e profissional que consegui, disse a ele para parar de falar sobre armas e prosseguir sobre o tema que era o propósito da minha visita. Em sua propriedade, ele com frequência levava uma arma no quadril e, certa vez, quando fui interrogá-lo sobre um assunto em que o nome dele havia aparecido, eu e o policial que me acompanhava tivemos que ordenar a ele que afastasse aquela arma antes de prosseguirmos com nossas perguntas. Teria sido isso constitucional? Naquele momento, não estávamos preocupados com questões constitucionais, mas sim com a nossa segurança (e a dele); ele havia feito inúmeras ameaças contra os oficiais do DPCS; nós não iríamos nos arriscar com ele. Howarth afastou a arma conforme o "solicitado".

Ken, então, trouxe à baila o fato de que estava deixando o Colorado por aproximadamente três anos e Chuck fora escolhido para sucedê-lo como organizador local. Quando retornasse a Colorado Springs, disse que pretendia "tocar o terror".

Neste ponto, Ken começou a falar sobre seu encontro com a Posse Comitatus. A ironia é que revelou não gostar da Posse porque *eles* eram muito radicais e violentos. Se seus integrantes, entretanto, ainda quisessem se tornar membros da Klan, afirmou que não poderia detê-los, e, na verdade, a Posse tinha serviços que poderiam beneficiar a Klan. Ele ressaltou que os dois grupos combinados totalizariam por volta de cinquenta membros.

Ken continuou, explicando que a Posse queria que os membros militares da Klan furtassem armas automáticas e explosivos de Fort Carson, e que eles pagariam um bom dinheiro pelo equipamento. Ken informou que não queria que seus membros soldados se envolvessem com esse tipo de atividade, mas não expressou nenhuma indignação com a ideia de um ataque furtivo direto (ou seja, roubo) a um depósito de armas/explosivos de uma instalação militar dos EUA, cuja bandeira ele havia jurado defender. Ele também contou que a Posse queria explodir alguns dos bares "de bichas" da cidade com bombas de gás de hidrogênio recheadas de pregos para causar o máximo efeito de granada e parecia animado com a possibilidade.

A declaração da Posse de querer jogar bombas nos bares "de bichas" — havia dois bares/saunas gays em Colorado Springs na época, a Hide N Seek Room Tavern (512 W. Colorado Avenue) e o Exit 21 Cocktail Lounge — não provocou em Ken uma reação de preocupação nem representou algo de alguma forma incomum, apesar de sua afirmação pessoal como líder local da Klan de que eles eram uma organização não violenta e não aprovavam tais atos como seus antecessores o faziam no passado. Numa de minhas conversas telefônicas pessoais com Ken, ele expressara o mesmo posicionamento que a Posse em relação a ataques com bombas aos bares "de bichas".

Os membros da Posse, de acordo com Ken, estavam construindo casas em cavernas por 20 mil dólares, nas montanhas a oeste de Colorado Springs, em preparação para um ataque nuclear. Eles também estavam armazenando comida e armas para tal eventualidade. Resumindo, ele achava que a única coisa boa que a Posse tinha a oferecer à Klan era o seu curso sobre como escapar do imposto de renda.

Para Ken, a Posse não era nada mais do que um meio para um fim em termos de expandir o alcance da Klan por causa de suas semelhanças ideológicas (isto é, crença na superioridade racial branca, especialmente em relação a judeus e negros; crença no ZOG, de que os judeus estavam por trás de uma conspiração para controlar o governo americano; crença de que a tributação do governo sobre os cidadãos americanos era ilegal e eles eram obrigados, e dentro de seus direitos, a fugir de impostos; e a crença de que uma guerra racial entre brancos e negros era iminente e eles deveriam começar a estocar armas em preparação para o conflito que viria); bem como seu conhecimento de como explorar o governo para fins tributários. Sua união era uma combinação forjada no inferno para os cidadãos de Colorado Springs.

A reunião terminou com Jim a caminho de se tornar um novo membro da Klan e me proporcionando uma segunda presença sob disfarce, de olhos e ouvidos no grupo, bem como um reforço para Chuck e vice-versa. Ken convidou-os a participar de uma reunião conjunta em 20 de dezembro entre a Klan e a Posse, ocasião em que o filme *O Nascimento de uma Nação* seria exibido.

Quando estavam saindo, Jim perguntou a Ken se ele tinha um cigarro que ele pudesse filar. Ken apalpou os bolsos, puxando o formulário amassado junto com um maço de cigarros.

— Deixe-me pegar um cigarro e jogar esse lixo pra você — ofereceu-se Jim. E com isso ele salvou a investigação e caminhou para fora, para o ar noturno, respirando aliviado.

Stallworth aos 22 anos (1975). O primeiro detetive negro na história do Departamento de Polícia de Colorado Springs.

Carteira funcional da Polícia de Colorado Springs pertencente a Stallworth – com o quepe do tamanho certo.

Ingresso para o evento "Stokely Carmichael Fala".

Cobertura que o jornal *Gazette Telegraph* fez do discurso de Carmichael Stokely, o líder do Partido dos Panteras Negras.

Knights of the Ku Klux Klan
MEMBERSHIP APPLICATION

I believe in the ideals of Western, Christian Civilization and Culture, in the White race that created them and in the Constitution of the United States.
I am a White person of non-Jewish descent, 18 years of age or older.
I believe in the aims and objectives of the Knights of the Ku Klux Klan.
I swear that I will keep secret and confidential any information I receive in quest of membership.
I certify that I meet all requirements above under the penalty of perjury if falsified.

INITIATION FEE A one-time initiation fee of $15 is required when applying for membership in the Knights of the Ku Klux Klan. When a man and wife both join at the same time, there is only one $15 fee required for both. Students are not required to pay this $15 initiation fee.

Attached is my Initiation (naturalization) fee ($15. minimum) _____

KLAN DUES. Klan members are required to pay an annual membership fee of $30. This covers both a man and his wife. Annual dues for students is $15. When your annual fee is paid in full you will receive your passport and an attractive certificate for the current year. You will also receive a detailed Klan handbook outlining Klan history and Klan conduct.

Your annual membership fee also entitles you to receive the official publication of the Knights of the Ku Klux Klan, the *Crusader*, as well as the official internal bulletin, *KKK Action*.

If you join in Jan/Feb/Mar/April, your membership dues are $30 _____
If you join in May/June/July/Aug, your membership dues for the remainder of the year are $20 _____
If you join in Sep/Oct/Nov/Dec, your membership dues for the remainder of the year are $10 ✓

Each month I will try to contribute: ☐ $5   ☒ $10   ☐ $25   ☐ $50   ☐ $100   ☐ $ _____

When you apply for membership in the Knights of the Ku Klux Klan, your initiation fee of $15 must be paid. You cannot be naturalized into the Klan until this has been paid. Those persons applying for membership who are not required to pay this initiation fee must pay their dues with this application.

Name (Please print clearly) **RON STALLWORTH**
Address **P.O. BOX 4945**
City **COLO. SPGS.** State **COLO.** Zip **80930** Phone **(303) 633-4498**
Birth date **6-18-53** Occupation **PUBLIC UTILITIES**
Any talents which might be useful to this movement? Explain _____

I certify that the photograph and information presented herein is genuine and accurate. I understand that any misrepresentations on this application for membership will result in this application being declared null and void.

Make all checks payable to:
Patriot Press Box 624 Metairie, LA 70004

Signature of Applicant **Ron Stallworth**
Date **11-13-78**

LOCAL UNIT ADDRESS:
KEN
PO BOX 4771
C/O SPRINGS C/O 80930

Formulário de filiação à KKK preenchido por Ron Stallworth.

1865   1979
RON STALLWORTH   CO 78862
Member in Good Standing for the Year 1979
Knights of the Ku Klux Klan

Cartão de associado à Ku Klux Klan, conferido a Ron Stallworth.

2 Springs Marches Peaceful

By PATRICK O'GRADY
GT Staff Writer

People for the Betterment of People, an organization opposed to the formation of a local Ku Klux Klan chapter, conducted a peaceful, announced, northerly march up the east sidewalk of Tejon Street Saturday.

So did the Klan, but in a much smaller, unannounced version.

As Peggy Rizo's fledgling 20-plus member organization walked slowly along the east sidewalk, Josef Stewart and Kenneth O'Dell, members of the Colorado Springs chapter of the KKK, walked along the west sidewalk.

O'Dell, the highest-ranking local Klansman, was bedecked in full robes and carrying a Confederate flag. Stewart wore civilian clothes. Both men are soldiers stationed at Fort Carson, and the only publicly-revealed Klansmen here aside from press secretary Butch Blakeman.

Prior to the anti-Klan march — which attracted some two dozen people, black, white and brown — Ms. Rizo outlined her reasons for the demonstration.

"I just really got tired of it," she said, speaking of local media coverage of the newly-formed Klan den. "This is my home; if they can voice that they want members, then I can voice my opinions, too, that I don't want them here."

"I think the KKK and people like them are a backward step for mankind," Ms. Rizo continued. "We're just trying to institute higher thoughts."

Both PBP and KKK spokespersons have said several times in the past that they are nonviolent and merely wish to make their opinions known, rather than create confrontations. O'Dell and Stewart said they showed up Saturday to prove their nonviolent credo.

"We're just here to show we're nonviolent," O'Dell said, marching with the Stars and Bars held prominently before him.

O'Dell said the reason only two Klansmen appeared was to stress the nonviolent aspect of the organization as well as keep the identities of Klan members secret.

Across the street, anti-Klan marchers told why they turned out in the windy 15-degree weather. "They used to burn crosses on our property," said a tearful Helen Riordan, speaking of her days in a small community in upstate New York where she said the KKK made Irish-Catholics part of their target.

"I think it's sad — people on that level where they are really divided," said Jennifer Parisi. She also said she felt the march was not done in negative fashion, against the KKK, but rather in the spirit of trying to promote more positive relations between people.

Ms. Parisi added that the organization hopes to conduct "some kind of rally or symposium" to coincide with Martin Luther King Day.

Marches Peaceful
From Page 1A

is right for you and you hope that it makes things better."

The local Klan had talked of trying to organize a December march but never applied for a permit. Ms. Rizo's group needed no permit because it was a sidewalk march, single-file, rather than a parade down the street. Local KKK plans now are for its own march after the first of the year, timed to coincide with Grand Wizard David Duke's tour of the Pikes Peak Region.

"Mr. Duke is the brains of our organization," Stewart said, adding that Duke, based at KKK headquarters in New Orleans, already is scheduled for several appearances on local television.

Bullhorn in hand, Peggy Rizo led anti-Klan march
Supporters went single-file on Tejon Street with signs

Ken, com capuz e túnica da KKK, carregando uma bandeira dos Confederados, num protesto antiKlan, conduzido pela organização Povo pelo Bem do Povo.

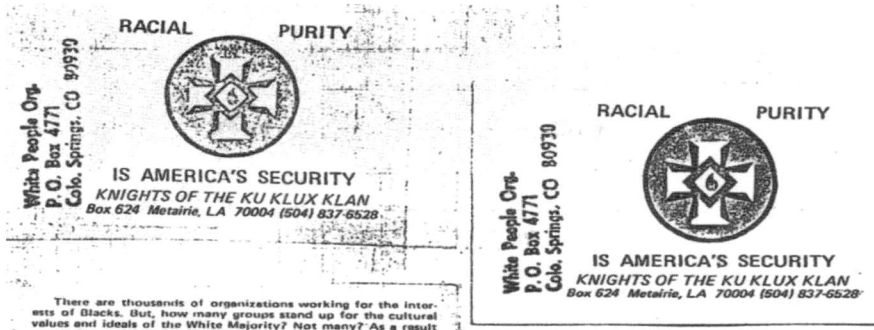

Cartão da Ku Klux Klan que o soldado de Fort Carson atirou no balcão do bar Bunny Club quando ameaçou "tacar uma bomba" no lugar. Na frente do cartão está a inscrição: PUREZA RACIAL É A SEGURANÇA DA AMÉRICA.

Folheto do Progressive Labor Party — PLP (Partido Trabalhista Progressista), convocando trabalhadores para lutar contra a KKK.

Knights Of The Ku Klux Klan

CERTIFICATE OF CITIZENSHIP
AWARDED TO

RON STALLWORTH

BE IT KNOWN TO ALL MEN OF HONOR, TO LOVERS OF LAW AND ORDER, PEACE AND JUSTICE, RACIAL INTEGRITY AND WHITE CULTURE, THAT THIS INDIVIDUAL HAS STEPPED FORWARD AND DISTINGUISHED HIMSELF THROUGH HIS QUEST FOR CITIZENSHIP IN THE INVISIBLE EMPIRE, AND BY HIS UNSWERVING DUTY TO THE BETTERMENT OF OUR PEOPLE AND NATION. UPON THIS DAY THIS PERSON OF HONOR HAS BEEN DULY APPOINTED TO THE RANK OF...

KLANSMAN

LET ALL KLANSMEN OF THE INVISIBLE EMPIRE, KNIGHTS OF THE KU KLUX KLAN TAKE DUE NOTICE OF THIS CITIZENSHIP AND GOVERN THEMSELVES ACCORDINGLY. THIS AWARDED CITIZENSHIP HOLDS FOR A PERIOD OF THE CALENDAR YEAR IN WHICH IT IS ISSUED OR UNTIL REVOKED BY THE ISSUING OFFICER OR EQUIVALENT AUTHORITY.

JANUARY 19, 1979
DATE ISSUED

WITNESSED

DAVID DUKE
GRAND WIZARD

Certificado de adesão à KKK conferido a Ron Stallworth.

— PERSONAL CODE —
KNIGHTS OF THE KU KLUX KLAN
I PLEDGE
1. to untiringly work for the preservation, protection, and advancement of the White race
2. to forever be loyal to the Knights of the Ku Klux Klan — as the only true Klan
3. to obey all orders from officers of the Empire
4. to keep secret all fellow members and Klan rituals
5. to never discuss any Klan affairs with any plain clothes officers on a state, local or national level
6. fulfill social, fraternal, and financial obligations to this order as long as I live

Signature
National Director   Date

Código Pessoal da KKK (traduzido na p. 136), com os seis compromissos de todos os membros da KKK. O que mais chamou a atenção de Stallworth e o levou à gargalhada foi o número 5: *"Eu me comprometo a: nunca discutir assuntos da Klan com qualquer policial à paisana em nível estadual, local ou nacional"*.

O policial disfarçado Chuck com David Duke, Grande Mago da KKK.

David Duke com o investigador infiltrado Jim (*no canto direito*), Chuck (*segundo da direita*) e outros alistados.

7

KKKOLORADO

Agora, com Jim disfarçado, a investigação parecia algo muito maior do que o meu projeto de estimação inicial. A Posse Comitatus e a Klan estavam tentando unir forças, uma associação contra a qual eu certamente me opunha. David Duke estava programando fazer um comício na cidade em menos de um mês, e grupos contra a Klan, como os Muçulmanos Negros, os Panteras Negras e o PLP, organizavam uma contraofensiva, que estávamos monitorando.

Em 16 de dezembro, o grupo antiKlan Povo pelo Bem do Povo realizou uma passeata de protesto, no centro de Colorado Springs, com cerca de vinte participantes. O PBP não era, para dizer o mínimo, o grupo mais bem organizado do mundo, mas eles eram bem-intencionados. Basicamente, era coordenado por uma dona de casa de Colorado Springs preocupada, que queria fazer uma manifestação contra o ódio em sua comunidade. Eles caminhavam do lado leste da rua Tejon vindos da rua Vermijo. Marchando de encontro a eles, do lado oeste da rua, estavam Ken O'Dell, vestindo uma túnica da Klan e carregando uma bandeira dos Confederados, e seu segundo em comando, Joe Stewart, usando uma jaqueta com o símbolo da KKK.

A certa altura, Ken deu breves entrevistas aos repórteres de jornal e de televisão, dizendo-lhes que não estavam lá para criar um confronto. Ele até explicou a presença de apenas dois membros da Klan como um esforço para enfatizar o aspecto não violento da organização, bem como para manter em segredo a identidade dos membros da Klan.

Eu mesmo monitorei a marcha, caminhando ao lado de Ken e Joe próximo o suficiente para ouvir qualquer conversa pessoal que pudesse haver entre eles. Por várias vezes, ri comigo mesmo pelo fato de o "Ron Stallworth" que falava com Ken frequentemente ao telefone estar a um metro de distância dele e ele nunca perceber a verdade por trás da farsa armada contra ele e seu grupo. Eu estava sempre de olho nas pessoas ao meu redor, atento se alguém iria me reconhecer e me chamar de "detetive Stallworth" ou "Ron Stallworth", o que alertaria Ken e começaria a fazê-lo questionar por que o nome daquele policial negro era o mesmo do membro da Klan que ele em pessoa havia selecionado para substituí-lo como organizador local. Fiquei em silêncio e fui o mais discreto possível durante a marcha. Na verdade, eu estava até curtindo a ironia de que eu, um "leal e dedicado membro da Klan", estivesse a um metro do homem que me recomendou como seu substituto.

Uma interessante conversa que me tocou fundo ocorreu durante a marcha. Éramos testemunhas de novos tempos e atitude em relação à Ku Klux Klan. Enquanto estava parado num semáforo vermelho de um cruzamento, um homem negro, segurando a mão de seu filho de 5 anos, parou ao meu lado, próximo a O'Dell. O filho olhou para Ken com curiosidade, apontou para ele e perguntou ao pai:

— Papai, por que esse homem está vestido desse jeito engraçado?

Eu comecei a rir junto com os outros que estavam por perto, quando o pai, olhando direto para Ken, respondeu:

— Ele é apenas um palhaço ridículo, filho.

Ken e Joe fulminaram com os olhos o pai e aqueles dentre nós que estavam rindo, até que o semáforo ficou verde e a marcha prosseguiu por mais alguns quarteirões até o seu encerramento.

A resposta do pai me convenceu de que estávamos no alvorecer de uma nova era. No passado, um homem negro referir-se abertamente a um membro da Klan vestido com túnica como um "palhaço" teria sido uma inútil e imprudente declaração de desafio, ignorância ou estupidez. Ali, na Colorado Springs de 1978, o pai demonstrou grande ousadia ao enfrentar às claras o simbolismo da bandeira confederada e do traje branco fantasmagórico da Klan e, olhando direto nos olhos de Ken, declarou a seu filho e a todos em volta que ele não passava de um palhaço. Algumas décadas antes, é provável que o desfecho fosse a sentença de morte para o pai.

Como eu disse, o protesto não era um primor de organização. Durou cerca de 45 minutos, terminando com alguns discursos e uma pequena multidão se aglomerando para tentar escutar.

Enquanto nos preparávamos para a chegada de Duke, vários eventos interessantes aconteceram durante a investigação que a fizeram avançar. Primeiro, recebi um telefonema de Ken me convidando para participar de uma cerimônia da Klan com a sua clássica cruz em chamas. Ele disse que ainda estava trabalhando nos detalhes em termos de data, horário e local, mas queria que eu estivesse ciente do plano e pronto para participar quando chegasse a hora. Eu lhe disse que aguardaria ansioso por mais notícias sobre a queima da cruz, em particular a localização. Perguntei se ele tinha algum lugar específico em mente para fincar a cruz. Ele respondeu que o planejamento ainda não havia progredido tanto assim, mas me garantiu que seria num local estratégico em Colorado Springs, onde todos, a quilômetros de distância e de todas as direções, pudessem enxergar as chamas e saber que a Klan estava bem ativa na cidade. Ele queria que eu participasse da cerimônia da queima da cruz por se tratar de uma "experiência religiosa profundamente comovente".

Em segundo lugar, eu havia estabelecido contato com o RAC (Resident Agent-in-Charge — Agente Encarregado Residente) do Departamento do FBI de Colorado Springs para discutirmos sobre informações que o Bureau pudesse compartilhar comigo a respeito da Ku Klux Klan. Eu buscava por informações gerais, em particular dados históricos do grupo no Colorado. Como policial, eu sabia que o FBI mantinha uma mina de informações sobre organizações e indivíduos, embora eles não gostassem de reconhecer esse fato, e eu queria todo o histórico da Klan no Colorado.

O RAC, um bom amigo que se tornou um valioso aliado em minha investigação, tinha um passado pitoresco como agente do governo federal e, se fôssemos acreditar no que contava, ele próprio tinha uma história com a Klan. Possuía o dom para contar "casos" e seus relatos eram repletos de exageros, por isso era difícil separar o joio do trigo, sem mencionar que ele sempre os pontuava com o fato de que o completo teor da informação ainda era considerado altamente "confidencial" pelo governo. Ele havia trabalhado para a CIA por um tempo antes de mudar para o FBI na época de J. Edgar Hoover, e muitas vezes nos entretinha com suas histórias à la James Bond de trabalho clandestino envolvendo operações secretas para "A Companhia" (CIA) e o FBI. Ele nos fornecia apenas informações superficiais, o suficiente para aguçar a nossa curiosidade; então, apresentava-nos a essência da história e, na maior parte das vezes, provocava em nós gostosas gargalhadas com suas recordações dos eventos, sem nos revelar o que alegava ser ainda "informação confidencial".

Uma de suas histórias dizia respeito ao caso do assassinato de três ativistas pelos direitos civis no Mississippi, em 1964. Os três foram dados como desaparecidos e o FBI foi enviado à comunidade rural do Condado de Neshoba para investigar, somente para descobrir que o escritório do xerife estava ligado à Ku Klux Klan local. Os agentes não conseguiram falar com os brancos da comunidade por causa de sua simpatia pela Klan ou medo, e do ódio pela autoridade do governo federal. Eles também não conseguiram falar com os membros da comunidade negra por causa de seu medo natural da Klan, fruto de gerações de terror inato.

O agente que encabeçava a investigação, um nortista, acreditava em seguir o protocolo investigativo do FBI e bateu contra um muro de silêncio. Seu assistente, um sulista que conhecia a natureza do povo porque ele próprio já havia sido como eles e compreendia a cultura do Sul, defendia para a investigação a abordagem alternativa de "pensar fora da caixa", o que violava o protocolo. No fim das contas, eles seguiram essa abordagem e conseguiram um informante que escancarou o caso, levando-os aos corpos das vítimas. O FBI acabou prendendo vários membros da KKK, incluindo o xerife. A história foi imortalizada no filme *Mississippi em Chamas*, estrelado pelo ator vencedor do Oscar Gene Hackman como o agente sulista do FBI.

O RAC de Colorado Springs me disse que fazia parte da equipe do FBI que trabalhou nesse caso, e que eles estavam sob as ordens diretas de J. Edgar Hoover para solucioná-lo. Foi só depois de se desviarem do protocolo constitucional — o que foi retratado diretamente no filme ou em cenas que usaram uma combinação de eventos que de fato aconteceram — é que puderam obter as provas que culminaram nas prisões dos indivíduos responsáveis pelos assassinatos dos ativistas dos direitos civis.

Pedi ao RAC para me ajudar, por meio de suas ligações com o governo, a conseguir o histórico da Klan no Colorado. Ele respondeu brincando que a sede regional do FBI em Denver não tinha nenhuma informação sobre a KKK.

Eu retruquei que o FBI possuía dossiês sobre tudo e todos. Ele balançou a cabeça, riu e foi embora.

Ele vinha à Divisão de Detetives várias vezes por semana e, sempre que nossos caminhos se cruzavam, eu lhe fazia o mesmo pedido: "Consiga para mim o dossiê do FBI sobre a história da Klan do Colorado". Toda vez ele balançava a cabeça, sorria e ia embora, embora eu tenha notado que a enfática negação sobre a existência de tal informação houvesse cessado.

Depois de algumas semanas nesse tipo de interação — nesse joguinho —, o RAC me abordou um dia em meu escritório e colocou na minha mão um papel com o nome e o telefone de um agente do FBI designado para o escritório de Denver. O RAC me disse que o Agente X estava aguardando o meu telefonema.

Perguntei quem era o Agente X e por que ele estava aguardando o meu telefonema. A resposta do RAC foi um simples sorriso e as palavras: "Faça a ligação, seu filho da mãe". Nada mais foi dito nem explicado, restando apenas um profundo ar de mistério. Isso, no entanto, não era incomum para o RAC, que, com base em sua história profissional, em geral falava em termos enigmáticos, deixando o ouvinte refletir sobre a motivação e o significado subjacentes de sua afirmação e se ela se baseava numa hipérbole ou num fato.

No dia seguinte, liguei para o Agente X, que disse ter ouvido falar da minha investigação "um tanto singular". Ele riu da hilariante farsa que eu armara contra os membros da Klan e da completa estupidez que demonstraram por caírem como patinhos no tipo de artimanhas que estávamos usando. Ele me parabenizou pelas valiosas informações de inteligência que estavam surgindo como resultado da investigação. Mas antes que eu pudesse explicar o que precisava, ele me disse para ir ao seu escritório em Denver no dia seguinte. Não acrescentou mais detalhes, entretanto, e nossa conversa se encerrou ali.

Na tarde seguinte, finalmente conheci o Agente X. Ele me acompanhou até uma sala de reuniões e me disse para sentar à grande mesa de conferência retangular de madeira escura. Deixou-me sozinho por cerca de três minutos e, quando retornou, trouxe um par de lápis e um bloco de anotações na mão esquerda. Na mão direita, segurava uma pasta expansível de cerca de quinze centímetros de largura, cheia de papéis. Esses itens foram depositados na mesa à minha frente com instruções de que eu poderia olhar tudo o que havia na pasta e fazer anotações, mas não era permitido retirar da sala nenhuma cópia de qualquer material. Ele me disse para eu levar o tempo que precisasse e depois me deixou sozinho.

Dentro da pasta, havia um tesouro de informações sobre a história da Ku Klux Klan no Colorado. Muitas das folhas de papel estavam amareladas pelo tempo e datavam da década de 1920. Era quase que uma cápsula do tempo da Klan no Colorado: como e quando eles se formaram (1921); seu primeiro Grande Dragão, um médico chamado John Galen Locke; e suas atividades, como jogar uma bomba na casa de um carteiro negro que se mudara para um bairro branco, queimar/reduzir a cinzas uma AME — Igreja Africana Metodista Episcopal —, boicotar empresários judeus de Denver e os impedir de serem membros de sociedades específicas como a Maçonaria, e fazer ameaças físicas a judeus e católicos.

Em 1923, estimava-se que a Klan, no Colorado, tivesse entre 30 e 45 mil membros, metade dos quais moravam em Denver. Havia também divisões em Cañon City, que abrigava a penitenciária estadual; Boulder, lar da Universidade do Colorado; Colorado Springs; e Pueblo, a cerca de 55 quilômetros ao sul de Colorado Springs. Uma vez estabelecida, a Klan estava determinada a obter poder político. Eles assumiram o controle do Partido Republicano do estado e escolheram praticamente todos os seus candidatos nas eleições de 1924. Em 1925, o Senado do Estado do Colorado e a Câmara dos Representantes eram compostos por uma maioria de membros da Klan eleitos através do Partido Republicano.

O que me saltou aos olhos de imediato das páginas amareladas foi o nome de Benjamin Stapleton, um de seus candidatos. Ele foi eleito prefeito de Denver para os mandatos de 1923 a 1931 e de 1935 a 1947. Foi a força motriz por trás de um projeto que mais tarde se tornou o Aeroporto Municipal de Denver. Em 1944, o nome do aeroporto foi mudado em sua homenagem para Aeroporto Internacional de Stapleton.

Vários membros-chave de sua equipe na prefeitura também faziam parte da Klan. Tão estreito era o seu relacionamento com a organização que os eleitores, irados, exigiram sua renúncia depois de tomarem conhecimento de sua simpatia pela Klan, que ele mantivera oculta durante a campanha. Sua resposta aos esforços para a impugnação de seu mandato foi apresentada em um comício da Klan:

— Eu me comprometo a trabalhar com a Klan e pela Klan nas próximas eleições, de corpo e alma, e, se for eleito, darei à Klan o tipo de administração que ela quer.

Stapleton venceu o referendo revogatório graças ao comparecimento em peso dos eleitores da Klan para votar e sua influência sobre a população de Denver. Exultantes por sua vitória, os membros da Klan realizaram uma cerimônia de queima de cruzes.

Nas eleições gerais de novembro de 1924, outros candidatos apoiados pela Klan alcançaram a vitória. O governador Clarence J. Morley era membro da Klan; dois senadores americanos, Rice

Means e Lawrence Phipps, tinham fortes conexões com a Klan; e a Klan ocupava os cargos de vice-governador, auditor estadual e procurador-geral. Outro membro da Klan, William J. Candlish, foi escolhido pelo Grande Dragão para ser o chefe de polícia do Departamento de Polícia de Denver e oficialmente nomeado pelo prefeito Stapleton. Além disso, membros da Klan tinham cadeiras no Conselho Diretor da Universidade do Colorado e na Suprema Corte do Estado. A cidade de Denver e o Estado do Colorado, em essência, estavam sob o controle da Klan. Tão difundidos eram o controle e a influência da Klan no Colorado que certas publicações nacionais começaram a grafar Colorado com *K*. Seu domínio político durou aproximadamente três anos, terminando em 1926, depois de irregularidades em financiamentos serem investigadas pelas autoridades federais.

Sentei-me à mesa de reunião por quase duas horas, fascinado com o que estava lendo, fazendo o máximo possível de anotações, abismado e impressionado com a vasta riqueza de informações. Eu estava literalmente lendo sobre e vendo imagens de fantasmas que haviam mudado a população do Colorado, alguns para melhor, por causa de suas políticas, e outros de um modo negativo, devido às suas inclinações sociais. Um pensamento continuava a passar por minha cabeça: *eu me pergunto quantas pessoas que passam pelo Aeroporto Internacional Stapleton sabem que, de certo modo, estão homenageando um antigo líder da Ku Klux Klan*. Eu mesmo tinha frequentado o aeroporto diversas vezes e, até aquele momento, não fazia ideia de sua conexão histórica com a Klan.

Grande parte da abordagem da Klan de meio século antes estava sendo, ou tentando ser, revivida pela geração de membros da Klan da minha época. A tomada de toda uma capital, Denver, e do governo do estado era o precedente que motivara a fala de Ken

O'Dell de que a Klan se tornaria um partido político e de registrar membros da Klan para votar.

Enchi várias páginas de anotações com base no arquivo que o Agente X me lembrara, com um sorriso, que eu não tinha visto. Ele me advertiu de que o uso por mim de qualquer informação que eu havia acabado de descobrir não poderia remeter ao FBI, porque o arquivo, oficialmente, não existia. Deixei claro que entendia suas preocupações e voltei ao meu escritório em Colorado Springs.

Um dia ou dois depois de ter retornado de Denver, recebi um pacote no meu escritório de um investigador do Congresso junto à Câmara dos Representantes dos Estados Unidos. Dentro do pacote havia quatro volumes de "Audiências sobre Atividades das Organizações Ku Klux Klan nos Estados Unidos do Comitê de Atividades Não Americanas da Câmara dos Representantes do 89º Congresso (1965-1966)". Continha toda uma história "oficial" da Klan com base num inquérito do governo federal durante o auge do movimento dos direitos civis, incluindo depoimentos de testemunhas e documentação oficial da Klan. Proporcionava boas informações gerais sobre a Klan para me ajudar a entender melhor a organização e o tipo de pessoas atraídas por sua marca ideológica.

Eu não sei como esses volumes foram enviados aos meus cuidados.

Entrei em contato com a diretora-executiva da Anti-Defamation League of B'nai B'rith — ADL (Liga Antidifamação da B'nai B'rith), um grupo judaico com sede em Denver. A ADL é uma organização dedicada a monitorar e combater os supremacistas brancos ou qualquer outro grupo que apoie a crença na superioridade e no domínio raciais, em particular aqueles que são antissemitas. Quando contei a Barbara Coppersmith da ADL sobre a minha investigação e o tipo de informações que eu procurava, a princípio ela achou graça do inusitado da situação, mas depois se comprometeu a me auxiliar em tudo que estivesse ao seu alcance e com todos os recursos da ADL do escritório de Denver e, se necessário, de seus escritórios nacionais em Nova York. Eu, de minha parte, concordei em mantê-la sempre informada sobre quaisquer novos avanços na investigação. A partir daquele momento, comecei a receber material da ADL sobre a Klan, todo ele de valor histórico, e algumas informações oriundas de espionagem, por causa de sua rede de informantes.

Esse foi outro exemplo da abordagem de se "pensar fora da caixa". Em geral, os civis, a menos que estejam diretamente envolvidos numa investigação e tenham necessidade de saber detalhes específicos, são mantidos fora do círculo das ações oficiais que estão sendo executadas pelos investigadores da polícia. Neste caso, decidi, com base na história pregressa da postura e relacionamento da Klan com a comunidade judaica americana, que Coppersmith e a ADL poderiam ser valiosas aliadas. Por isso, eu sempre mantinha Barbara informada sobre os acontecimentos, omitindo certos detalhes vez ou outra, e ela, por sua vez, continuou me encaminhando material sobre a atuação da Klan, tanto no Colorado quanto no restante do país, de modo que me mantinha atualizado sobre novas tendências.

Com relação às "novas tendências", Coppersmith me perguntava de tempos em tempos se eu poderia interrogar as minhas "fontes" da Klan sobre esse ou aquele assunto, coisas sobre as quais a ADL em Denver havia levantado informações ou que outros escritórios da ADL no país haviam pedido para verificar. Eu, então, ligava para Ken O'Dell ou Fred Wilkens ou ambos e conduzia a conversa para aquele assunto em particular. Eu retransmitia as respostas e, em duas ocasiões, telefonei para o próprio David Duke e conversei com ele, que involuntariamente cooperou com seu arqui-inimigo — uma organização que ele mais de uma vez afirmou desprezar

— ao me dar uma resposta para a pergunta deles. Barbara Coppersmith era uma senhora idosa e muitas vezes exclamava: "Ora, ora, mas que divertido!", e houve momentos em que era mesmo. Ela se deleitava em saber que o Grande Mago da KKK estava "cooperando" com um inquérito/investigação da ADL. Ela curtia a emoção de fazer parte do nosso "esquema" contra a Klan e apreciava receber atualizações periódicas sobre as informações recém-obtidas.

Minha amizade — por falta de uma palavra melhor — com David Duke só estava se fortalecendo. Após minha conversa de 12 de dezembro com ele, começamos a nos falar mais ou menos uma ou duas vezes por semana. Eu telefonava para ele para elogiá-lo. Sempre o chamava de "senhor Duke" e dizia que parecia que a Klan estava indo realmente muito bem. E, então, ele ia em frente e explicava todos os seus planos, gabando-se e contando vantagem e me fornecendo informações.

Por exemplo, em conversas distintas, Duke me contou sobre as marchas da Klan planejadas para Los Angeles, Kansas City e outras regiões do país. Nas conversas, ele fornecia detalhes sobre o ponto de encontro deles, objetivos específicos de sua manifestação, medidas estudadas de contraofensiva, que sempre eram baseadas na violência (apesar de sua alegação de que eram um grupo não violento) e ações contra a resposta policial. Assim que me era possível, depois dessas conversas, eu ligava para os departamentos de polícia localizados na área jurisdicional dessas cidades e os alertava sobre as informações de Duke. Por diversas vezes, nas conversas seguintes, Duke comentava sua surpresa por certos departamentos de polícia estarem tão bem preparados para a presença da Klan, quase como se soubessem de antemão o que iria acontecer.

Eu ligava para Duke a pedido de outros departamentos de todo o país, incluindo o FBI, cuja política, como resultado das consequências das reformas pós-Watergate, os proibia de se ocuparem das atividades da Klan ou de qualquer grupo, a menos que os eventos indicassem ameaça conspiratória; representantes de departamentos que utilizavam serviços de inteligência no monitoramento de grupos subversivos, ao tomarem conhecimento da investigação sob disfarce conduzida contra a organização de Duke, caíam na gargalhada depois de ficarem sabendo dos detalhes específicos: um policial negro infiltrado na Ku Klux Klan.

Alguns pedidos vieram do Departamento de Polícia de Nova Orleans, que não conseguira se infiltrar com sucesso na organização de Duke com um policial disfarçado ou um informante. Essas oportunidades abriram as portas para que eu expandisse a minha investigação em diferentes direções. Às vezes, meus telefonemas a David Duke eram conversas leves e pessoais sobre sua esposa, Chloe, e seus filhos. Como estavam e o que acontecia em suas vidas. Ele sempre respondia com cordialidade e entusiasmo, como orgulhoso e amoroso marido e pai que era. Estava mais do que disposto a compartilhar histórias sobre como eram maravilhosos. Na verdade, quando se afastava o tema da supremacia branca e todos os absurdos da KKK da conversa com Duke, ele era um interlocutor muito agradável. Parecia um cara "normal". Uma vez que o papo adentrava os limites da ideologia da Klan, no entanto, o doutor Jekyll se transformava no senhor Hyde e o monstro dentro dele era libertado. Ele certa vez me contou que sua esposa compartilhava de sua vivência na Klan e que seus filhos estavam sendo criados no mundo da Klan sob a tutela da Klan Youth Corps.

Às vezes, minha conversa era educativa, com um tom cômico e racista. Uma vez perguntei ao "senhor Duke" (todos se referiam a ele de forma reverente como "senhor") se ele se preocupava que algum "crioulo" metido a esperto telefonasse para ele fingindo ser branco. Ele respondeu: "Não, eu sempre sei dizer quando estou falando com um crioulo". Quando perguntei como ele poderia ter certeza disso, ele afirmou o seguinte: "Veja o seu caso, por exemplo. Sei que você é um homem branco puro e ariano pela maneira como fala, pelo modo como pronuncia certas palavras e letras".

Pedi-lhe para ser mais específico e ele disse:

— Um homem branco fala a língua inglesa do jeito que deveria ser falada. Pegue como exemplo a palavra "ser" ou a letra "r". Um ariano puro como você ou eu pronunciamos da maneira apropriada, "ser", enquanto um crioulo diria "sê". Os crioulos não têm a mesma inteligência do homem branco para falar corretamente o inglês do jeito que deve ser falado. Quando conversar com alguém ao telefone e não estiver familiarizado com ele, sempre ouça o padrão de fala por um breve período para determinar como ele pronuncia determinadas palavras.

Ele nunca me disse que outras palavras eram essas.

Eu respondi no tom mais lisonjeiro que consegui manter sem rir ou vomitar:

— Senhor Duke, quero lhe agradecer por essa lição, porque, se não tivesse chamado a minha atenção para isso, eu jamais teria percebido a diferença entre como falamos e como os negros falam. De agora em diante, vou prestar muita atenção nas minhas conversas telefônicas para ter certeza de que não estou falando com um "deles" [um crioulo].

Ele pareceu lisonjeado e satisfeito por minha bajulação sobre sua natureza generosa em compartilhar seu conhecimento e "sabedoria". Ele me disse que ficava feliz em ajudar e esperava que essa lição fosse útil. Daquele momento em diante, quando eu conversava com Duke ao telefone, sempre buscava um ponto na conversa em que pudesse enfiar uma pergunta que incorporasse a palavra "ser", só que eu a pronunciava como um "crioulo", "sê". Essa era minha maneira simbólica de insultá-lo e apontar o dedo médio na cara dele para lhe mostrar que este homem negro aqui, que completou apenas o ensino médio, com apenas vinte créditos acadêmicos, era mais esperto do que ele, um sujeito com formação universitária e mestrado. Meu uso do "sê" era a minha forma de curtir com a cara dele e me divertir um pouco à sua custa. Ele nunca atentou para o fato de que um dos membros brancos arianos puros da Klan falava inglês como um "crioulo" e era, na verdade, um orgulhoso negro de ascendência africana.

A avaliação de Duke sobre o uso da linguagem pelos negros era interessante, pois ele, em certa medida, tinha razão. Alguns negros do Sul, de fato, pronunciam a palavra "ser" da maneira como ele descreveu. Um exemplo disso era a minha falecida sogra. Nascida e criada no Alabama, ela havia se formado pela Alabama State University com mestrado em Administração e era diretora aposentada do Departamento Administrativo de uma escola secundária em Colorado Springs. Era ativa em sua AME (Igreja Africana Metodista Episcopal) e nas questões da comunidade negra, mas ao longo dos meus trinta anos de convivência com ela, ela sempre pronunciou a palavra "ser" exatamente como David Duke descrevera.

A falácia racial no argumento dele é que essa pronúncia não é exclusiva dos negros. Muitas pessoas do Sul, incluindo brancos, empregam esse padrão de fala. Em outras palavras, não tem nada a ver com a superioridade da inteligência racial branca ariana pura, como afirmara o Grande Mago, mas é mais um reflexo regional de uma educação linguística cultural. Em outras palavras, a lógica dele era extremamente falha e não fundamentada em fatos.

Outro aspecto significativo sobre essa conversa em particular foi o uso despreocupado do termo pejorativo "crioulo" por Duke. Ele estava se promovendo na época e sendo descrito pela mídia como a "nova cara da moderna Klan". Ele não correspondia ao membro da Klan estereotipado, sem instrução, pançudo, bebedor de cerveja, que masca e cospe tabaco, típico dos filmes. David Duke tinha uma aparência respeitável, mostrando-se em público sempre de terno e gravata; usava sua túnica da Klan apenas para fins cerimoniais privados. Ele tinha estudo, mestrado em Ciências Políticas pela Louisiana State University, falava bem e era um excelente orador. Era o líder da "nova" Klan. Sua imagem pública refletia a de sua organização da Klan. Ele e os membros não usavam a palavra "crioulo" em público, mas o termo era proferido à vontade entre quatro paredes.

Numa de minhas conversas com Duke, falamos sobre política e ele me contou a respeito de sua intenção de concorrer a um cargo eletivo num futuro próximo. Ele explicou que somente mudando o cenário político por meio das urnas é que a Klan poderia esperar tornar as condições nos Estados Unidos mais favoráveis para a raça branca. A princípio, ele iria concorrer a um cargo estadual da Louisiana, mas, um dia, tentaria a presidência.

É interessante examinar melhor as inclinações políticas de Duke em 1978 e 1979. Embora se identificasse como democrata conservador na época, ele não mudou sua afiliação partidária para republicano por quase dez anos. Muito de seu pensamento político, assim como no seu mundo em geral, girava em torno da questão racial. Naquele mundo, os brancos eram mais inteligentes e superiores do que os negros e outros grupos minoritários. Ele acreditava que a raça branca era a defensora da virtude e dos valores norte-americanos, e a Klan era a personificação física dessa defesa. Suas posições estavam mais em conformidade com uma América que existiu durante os anos do governo de Eisenhower (1953 a 1961), um período em que a dominância branca nos Estados Unidos era a norma e a Klan literalmente governava as comunidades em todo o Sul.

Aquele período, que inclui o senador de Wisconsin Joseph McCarthy e sua cruzada contra o comunismo, foi o de uma postura de "elitismo cultural" por parte dos brancos dominantes. Essa postura ficava bastante evidenciada no ataque contra o rock'n'roll, a nova forma de música que emergia das raízes da cultura negra mestiça com a cultura musical branca e era amplamente aceita pela juventude branca. A Klan desempenhou um papel fundamental ao denunciar essa tendência emergente e tentou suprimir sua influência contínua entre os jovens brancos.

Esse pensamento de mais de meio século atrás, essa perspectiva política e as palavras usadas para descrever uma tendência cultural emergente que ia contra a corrente dominante branca da época, encontrou um renascimento nas ações e palavras do movimento conservador moderno.

Quando vejo as notícias hoje, notícias essas que me lembram muito da minha época investigando a Klan, gosto de pensar naquele pai e seu filho, caminhando próximos a Ken e sua indumentária da Klan. É apenas um palhaço.

8

INICIAÇÃO

Em 20 de dezembro, Jim recebeu um telefonema de Ken para verificar se ele e Chuck estariam em sua casa às sete da noite para uma exibição de *O Nascimento de uma Nação*. Além disso, ele queria a ajuda deles para transportar a madeira destinada à construção das cruzes para as cerimônias de queima. Ele explicou que uma das cruzes teria nove metros de altura e seria incendiada em Denver em breve.

Ken disse que dali a uma semana a divisão de Colorado Springs iria queimar uma cruz numa colina perto do cruzamento da Hancock com a Delta, uma via estratégica e muito movimentada. Ele também revelou que Fred Wilkens participaria da reunião. Ken informou a Jim que ele e Chuck seriam pessoalmente nacionalizados, o que significava ser sagrado membro oficial da Ku Klux Klan, por David Duke, em janeiro, durante sua visita à região de Colorado Springs.

Então, assim que descobrisse as informações exatas de quando e onde Ken e a Klan estavam planejando queimar uma cruz, eu tomaria várias providências. Notificaria o comandante encarregado e pediria que a central enviasse unidades extras para patrulhar constantemente a área do cruzamento onde a queima seria realizada, neste caso a Hancock com a Delta. Teríamos dois ou três carros patrulhando aquela área, procurando por alguém que estivesse fincando uma cruz no solo.

Nós não saberíamos se a Klan estaria realmente fazendo alguma coisa, porque seria um crime que evitaríamos através da nossa presença, em vez de plantar uma armadilha para surpreendê-los e pegá-los em flagrante.

Ken prosseguiu, afirmando que conhecera um homem idoso que havia sido um membro ativo da Klan nas décadas de 1920 e 1930. Ele confirmara que tal homem havia pertencido à organização no passado porque ele conhecia o "aperto de mão secreto" da Klan. O idoso tinha a intenção de reativar a sua adesão e ajudar a divisão de Colorado Springs a crescer. Ken concluiu afirmando que Jim e Chuck aprenderiam o aperto de mão secreto da Klan depois que tivessem sido nacionalizados por David Duke.

O telefonema terminou e todos começamos a rir. Primeiro, eles haviam tirado de um filme do James Bond a ideia sobre como atear fogo a uma cruz e, agora, estavam se gabando de apertos de mão secretos. Era como se Dennis, o Pimentinha, estivesse comandando um grupo de ódio.

Às 19 horas, Chuck e Jim foram à reunião conjunta entre a Klan e a Posse Comitatus, realizada numa residência em Westside Colorado Springs. O objetivo da reunião era que os líderes dos dois grupos trocassem ideias sobre como ampliar a colaboração.

Junto com Chuck e Jim em seus papéis disfarçados, representando a Klan, estavam Fred Wilkens e David Lane, respectivamente o organizador de Denver e um advogado que dizia representar a Klan na região da grande Denver. Essa foi a primeira vez que encontramos David Lane, pois até então só o conhecíamos de nome, citado vez por outra em reportagens sobre o movimento de ódio no Colorado. Também representando a Klan estava Donald Black, o Grande Dragão/organizador do estado do Alabama, que era um colaborador próximo de Duke e estava visitando Wilkens, seu equivalente, no Colorado. Ele concordou em acompanhá-lo àquela reunião, embora não soubéssemos se para apoiar Wilkens ou se estava no Colorado, em nome do escritório nacional dos Cavaleiros da Ku Klux Klan, por ordem de Duke. Também de Denver, havia um indivíduo representando o Partido Nazista Americano.

Donald Black é uma figura interessante na história do movimento racista/de ódio. Quando Duke deixou a Klan por volta de 1980 para formar a Associação Nacional para o Avanço dos Brancos (NAAWP), Black assumiu como Grande Mago dos Cavaleiros da Ku Klux Klan. Ele não obteve sucesso em sustentar a imagem "respeitável" iniciada por Duke. De acordo com o projeto de monitoramento da KKK (Klanwatch Project) do Southern Poverty Law Center, cerca de um ano depois que Black assumiu o controle dos Cavaleiros da Ku Klux Klan, ele foi preso com outros membros da Klan e neonazistas por tentar derrubar o governo de Dominica. Anos mais tarde, depois que Duke e sua esposa se divorciaram, Black casou-se com a ex-esposa de Duke e eles fundaram o primeiro site de ódio da internet, o Stormfront.org.

Essa reunião foi a primeira vez que soubemos haver uma conexão entre a Klan e o Partido Nazista Americano em Colorado Springs. Também compareceram os membros da Klan de Colorado Springs, Tim e Joe, e novos membros em potencial, incluindo o homem idoso que supostamente tinha sido membro da Klan nas décadas de 1920 e 1930. Representando a Posse estavam o seu líder, Chuck Howarth, e vários outros membros. O advogado assumiu o controle da reunião instando a Posse a se envolver mais ativamente em grupos racistas brancos no Colorado.

Ken disse a Wilkens que ele havia recrutado 38 possíveis membros da Klan na Penitenciária Estadual do Colorado. Perguntou a Wilkens se ele conseguira alguma coisa a respeito da circulação do jornal da Klan em Fort Carson. Wilkens respondeu que as autoridades militares ainda não haviam entrado em contato com ele sobre o pedido para circular *The Crusader* na base.

Donald Black, então, apresentou o filme *O Nascimento de uma Nação* para a plateia. No intervalo, o contingente de Denver anunciou que iria partir; no entanto, antes que o fizesse, o advogado deu suas "alegações finais" para unir os dois grupos, afirmando: "Todos os grupos brancos devem se unir a fim de terem sucesso em seus esforços para obter a supremacia branca". Ele exortou todos os presentes a se unirem à Ku Klux Klan local. Concluiu sua declaração com a saudação nazista, o braço direito levantado com a mão aberta, a palma para baixo, e um forte "Sieg Heil".

Meu contato na Liga Antidifamação, Barbara Coppersmith, ficou muito interessada nessa reunião quando eu lhe retransmiti os eventos e o papel particular do advogado nela. Ela me informou que notificaria seu escritório da sede na cidade de Nova York com as informações, porque eles ficariam muito preocupados com essa tentativa de fundir a Klan com a Posse Comitatus. Ela também revelou que a minha investigação havia descoberto algo do qual eles não tinham conhecimento.

Após a partida dos homens de Denver, a segunda metade do filme foi assistida pelos residentes em Colorado Springs. Depois da exibição, o líder da Posse, Chuck Howarth, encomendou 24 cópias dos jornais da Klan para seus membros. A reunião terminou pouco depois. Na opinião de Jim, os líderes da Klan e da Posse haviam sido receptivos às suas respectivas filosofias e uma segunda reunião foi marcada para uma data futura em Denver.

De volta à delegacia, mais tarde discutimos o que aconteceu naquela noite. Para Chuck e Jim, estava claro que os dois grupos estavam se dando muito bem, como manteiga de amendoim e geleia, e que a ameaça de sua fusão era mais relevante e real do que nunca.

Em 2 de janeiro de 1979, meu cartão de associado da Ku Klux Klan foi entregue pelo Serviço Postal dos EUA à residência de Ken. Jim se encontrou com ele para buscá-lo e mais tarde o entregou a mim.

Como prometido, o cartão trazia as duas letras "CO" para indicar que a minha associação era do Colorado. Seguia-se um número que começava com 78, para 1978, o ano da minha filiação, e 862, o que significava que eu era o 862º membro da Klan registrado no Colorado.

Enquanto estava na casa de Ken, Jim foi informado de que ele e Chuck deveriam estar em sua casa às 13h30, no dia 7 de janeiro, para serem "nacionalizados", introduzidos oficialmente nos Cavaleiros da Ku Klux Klan por David Duke, que chegaria a Denver no dia anterior. Ele explicou que quinze membros de Colorado Springs passariam pela cerimônia de "nacionalização". Ele também comentou que estava programado para Fred Wilkens ir à sua casa no início da noite a fim de discutir os detalhes da visita de Duke. Ken afirmou ainda que ele e uma estação de televisão local tinham obtido permissão das autoridades de Fort Carson para entrevistar pessoas brancas na base sobre o preconceito contra soldados brancos.

A reunião terminou com Jim retornando ao departamento de polícia com o meu cartão de membro, que eu imediatamente assinei. A parte do cartão que me chamou a atenção foi o verso, com seus "seis compromissos" relativos ao "Código Pessoal" dos Cavaleiros da Ku Klux Klan.

CÓDIGO PESSOAL
Eu me Comprometo a:

1. Trabalhar incansavelmente pela preservação, proteção e avanço da raça branca
2. Ser para sempre fiel aos Cavaleiros da Ku Klux Klan — como a única e verdadeira Klan
3. Obedecer a todas as ordens dos oficiais do Império
4. Manter em segredo todos os membros e rituais da Klan
5. Nunca discutir assuntos da Klan com qualquer policial à paisana em nível estadual, local ou nacional
6. Cumprir obrigações sociais, fraternais e financeiras para com esta ordem enquanto viver

O compromisso que me chamou a atenção e levou a mim, Jim e Chuck às gargalhadas foi o número 5: *"Eu me comprometo a: nunca discutir assuntos da Klan com qualquer policial à paisana em nível estadual, local ou nacional"*. Era quase bom demais para ser verdade o fato de eles colocarem isso lá no cartão de afiliação.

Depois de receber o cartão, dei dois telefonemas: o primeiro para Ken e o segundo para David Duke. Agradeci a Ken por fazer o meu cartão de membro chegar às minhas mãos. Ele foi gentil em sua resposta, mas explicou que, embora minha afiliação houvesse sido registrada no escritório nacional em Louisiana, ela não seria concluída até que eu tivesse passado pela cerimônia de nacionalização.

— É uma formalidade, mas é importante. Acho que você vai gostar da cerimônia — assegurou ele.

Ken prosseguiu explicando que um local na região de Denver havia sido reservado para a cerimônia e, depois disso, *O Nascimento de uma Nação* seria exibido novamente. Ele disse que o local tinha capacidade para 150 pessoas e que 113 convites já haviam sido enviados para os residentes na região de Denver a fim de assistirem à cerimônia e celebrar a visita de Duke, acrescentando que esperava preencher todos os 150 assentos porque, além da cerimônia e do filme, Duke faria um discurso.

Ele continuou dizendo que, uma vez que a visita de Duke em Colorado Springs estivesse concluída, ele queria que os membros locais realizassem uma cerimônia de queima da cruz. Explicou que no dia 11 ou 12 de janeiro um buraco seria cavado no chão e uma cruz encharcada de querosene seria fincada nele, em algum local na região de Sand Creek (leste) perto do Academy Boulevard, próximo à Interstate 25, um ponto, portanto, bastante visível para os motoristas que passassem por ali.

O ato de incendiar a cruz, disse ele, seria realizado usando um "detonador de caixa de fósforos", um método que vira num filme de James Bond: consistia em colocar uma caixa de fósforos na base da cruz e enfiar um cigarro aceso — queimado o suficiente para que faltassem cerca de dois minutos — na caixa de fósforos. Quando a extremidade acesa entrasse em contato com os fósforos, eles se inflamariam e, por sua vez, incendiariam a cruz. Ao atear fogo à cruz dessa maneira, explicou Ken, eles teriam tempo para se afastar antes que a polícia chegasse ao local em resposta às queixas dos cidadãos. Anotei a localização, para onde eu enviaria unidades de patrulha.

Perguntei a Ken se aqueles que estavam sendo nacionalizados precisavam usar a túnica com capuz. Ele respondeu que não era obrigatório; no entanto, se eu tivesse um, deveria usá-lo, pois ajudava a promover o senso de orgulho da Klan. Nós não compramos um traje da Klan do escritório nacional porque o departamento de polícia não autorizou a despesa de quarenta dólares. Depois que Ken me disse que Duke estaria em Colorado Springs no dia 10 de janeiro, nossa conversa terminou.

Nunca consegui fazer com que o sargento Trapp liberasse os quarenta dólares — oitenta, se incluirmos o custo do traje de Jim. A despesa era muito alta e meus apelos de que isso legitimaria Chuck e Jim não foram convincentes o bastante.

Então, dei um telefonema para Duke na Louisiana. Agradeci-lhe profusamente por ter aprovado a minha participação na "sua" Klan e lhe disse como estava orgulhoso de finalmente ter meu cartão de associado. Ele aceitou de modo amistoso minhas palavras de gratidão e disse que ansiava pela minha participação contínua como membro da Klan. Quando perguntei, ele confirmou que sua visita a Colorado Springs ocorreria em 10 de janeiro. Ele disse que tinha ouvido de Ken e Wilkens coisas positivas sobre mim e estava ansioso para me conhecer.

— Será um grande dia para nós — afirmou, antes de encerrar a ligação.

No dia seguinte, confirmei com a Continental Airlines que havia sido feita uma reserva para um "senhor D. Duke" partindo do Aeroporto de Nova Orleans para o Aeroporto Internacional de Stapleton em 6 de janeiro. Um voo de volta havia sido confirmado para 13 de janeiro. Eu estava apostando num palpite e, naquela época, a Continental Airlines era uma das principais companhias aéreas do país. Naquela época, anterior ao 11 de Setembro, fazer tal verificação não era muito difícil para um oficial de polícia local, embora eu tivesse que passar por alguns obstáculos antes de conseguir as informações. Isso forneceu a mim e aos meus colegas uma resposta mais definitiva quanto aos planos de chegada/partida de Duke e nos permitiu elaborar estratégias com base nisso.

Em 4 de janeiro, em preparação para a visita de David Duke a Denver para a cerimônia de nacionalização e os consequentes protestos da mídia e da comunidade antiKlan, que inevitavelmente se seguiriam, uma reunião estratégica foi realizada no Departamento de Polícia de Denver. O sargento Trapp, Jim e eu representamos o DPCS.

Representando o Departamento de Polícia de Denver na reunião de planejamento estratégico estava o sargento da Inteligência deles e um de seus detetives. Um detetive do Departamento de Polícia de Lakewood também estava presente, assim como um investigador da Força-Tarefa contra o Crime Organizado da Procuradoria-Geral do Colorado. Foi rapidamente revelado que um dos participantes desconhecidos no encontro de 20 de dezembro entre a Klan e a Posse em que *O Nascimento de uma Nação* foi mostrado era o líder da Posse Comitatus em Lakewood.

Ofereci ao Departamento de Polícia de Denver a oportunidade de ter um papel mais ativo na investigação colocando um dos seus detetives da Inteligência infiltrado na Klan. Dessa forma, seu policial seria capaz de monitorar a atividade do movimento do grupo de ódio local da mesma forma que estávamos fazendo em Colorado Springs. O sargento de Denver aceitou a minha oferta e disse que teria um detetive disponível para nossa inserção no grupo na próxima reunião com David Duke.

Eu tinha um motivo oculto para minha oferta de incluir um policial de Denver disfarçado na investigação. Ao fazê-lo, eu teria três pares de olhos e ouvidos dentro da Klan do Colorado, e acreditava que iríamos — falando no sentido da inteligência — esmiuçar a Ku Klux Klan e talvez abrir portas para uma maior penetração no movimento dos grupos de ódio do Colorado. A inclusão de um terceiro policial disfarçado foi um tremendo movimento na direção certa e um enorme reforço para a minha investigação.

Como resultado dessa reunião, todas essas agências comprometeram-se em ceder um total de sete agentes de vigilância para fornecer cobertura de apoio a Chuck e Jim durante a cerimônia de nacionalização.

Fica evidente que a participação dos departamentos de polícia de Denver e Lakewood e do gabinete do procurador-geral de Colorado demonstrava como as autoridades levaram a sério os potenciais fatores de risco da presença de Duke, das divisões da Klan de Denver e Colorado combinados e da presença do Partido Nazista Americano, da Posse Comitatus, e de membros de gangues de motoqueiros fora da lei que também comungavam com a retórica da supremacia racial branca e cuja presença era esperada para celebrar Duke. Aquilo estava tomando a forma de um conclave do movimento dos grupos de ódio de Colorado, com David Duke como figura central. Até onde sei, nada parecido com isso jamais havia acontecido antes na polícia do Colorado, pelo menos durante o meu período na ativa, e foi feito todo o possível para proteger o nosso povo. Foi também a primeira vez que o gabinete do procurador-geral se envolveu no movimento de ódio racista (mais uma vez, até onde eu tenha conhecimento). Isso foi em parte por causa da Força-Tarefa contra o Crime Organizado, dominada e supervisionada por policiais de Denver. Outros departamentos em todo o estado participavam da força-tarefa como investigadores designados pela procuradoria-geral. Após a conclusão da minha investigação da KKK, fui nomeado para a força-tarefa como investigador da Narcóticos. Meu supervisor, Robert C. Cantwell, mais tarde tornou-se chefe do Departamento de Polícia de Denver. Quando se aposentou, o governador o indicou para chefiar a Agência de Investigação do Colorado e depois o Departamento Correcional do Colorado.

Agora, com mão de obra extra, tanto em campo como nos escritórios, eu me sentia pronto para o senhor Duke.

Em 6 de janeiro, a mídia estava ciente da iminente visita de Duke a Colorado Springs, e os grupos de protesto começaram a responder à altura. O jornal *Gazette Telegraph* noticiou uma dessas reuniões, ao meio-dia, no Acacia Park, no coração do centro da cidade, envolvendo cerca de vinte pessoas. O grupo de protesto antiKlan envolvido foi o Povo pelo Bem do Povo.

Um segundo grupo com o nome de Cidadãos pela Reforma dos Direitos dos Prisioneiros compareceu em solidariedade e para divulgar sua causa específica. Eles se encontraram no parque na esquina da Tejon com a Nevada Avenue e marcharam alguns quarteirões. Caminhando do outro lado da rua, à vista de todos, dois homens da Klan enfrentavam seus protestos.

A divisão de Denver do Comitê Contra o Racismo (CAR) estava escalado para participar dessa manifestação; no entanto, não conseguiu chegar a Denver. Essa manifestação, como outras, foi um completo fracasso, no sentido de que atraiu apenas vinte pessoas. Para uma comunidade que, de acordo com alguns relatos da mídia da época, estava no auge da indignação com a presença da Klan e a visita próxima de Duke, a participação de apenas vinte manifestantes constituía um número insignificante. O grupo Povo pelo Bem do Povo, com toda a probabilidade, era bem-intencionado, mas, como outros grupos de protestos formados localmente, carecia de verdadeiros líderes com habilidades organizacionais e retóricas capazes de reunir os defensores de uma causa. Isso aconteceu em mais de uma ocasião durante essa investigação. Um pequeno grupo de cidadãos expressou sua indignação com as maquinações da Klan, mas a resposta geral da comunidade permaneceu morna.

Os dois homens da Klan que apareceram para confrontar o protesto percorrendo todo o trajeto da passeata foram completamente ignorados por todos, incluindo os representantes da mídia presentes. Eu testemunhei um deles ir até um dos repórteres e perguntar se ele estava procurando uma matéria. Quando o repórter respondeu que sim, o membro da Klan disse ao repórter para segui-lo até sua picape. Então, o homem colocou sua túnica e a entrevista começou, seguida pela marcha. Outros membros da mídia observaram isso e correram até o membro da Klan e colocaram microfones e câmeras em seu rosto com o mesmo arrebatamento febril dos paparazzi de hoje. Foi um frenesi, um evento produzindo notícias a partir das ações da própria mídia.

Muitas vezes, a mídia involuntariamente cria a própria notícia que reporta devido ao seu empenho em obter uma história. Isso só beneficia a pessoa ou o assunto que está sendo noticiado e dá a eles um poder imerecido.

Em 7 de janeiro, Chuck e Jim foram a um prédio de apartamentos em Lakewood — a residência de Fred Wilkens — para participar da cerimônia de nacionalização para sua iniciação formal nos Cavaleiros da Ku Klux Klan. Outros membros da divisão de Colorado Springs deveriam encontrá-los lá; quando foram levados para uma sala diferente por um membro de uma gangue de motoqueiros de Colorado Springs, eles encontraram onze pessoas presentes, incluindo algumas de Colorado Springs. Na ocasião, eles foram formalmente apresentados a David Duke e David Lane, o organizador da Klan na região de Denver. Eles notaram que camisetas com a inscrição WHITE POWER — KU KLUX KLAN estavam sendo vendidas e cada qual comprou uma. Disseram-lhes que todos iriam almoçar no restaurante Denny's antes de seguirem para o local da reunião. As unidades de vigilância proporcionariam cobertura aos policiais durante esse encontro e pelo restante de sua estada com Duke.

No restaurante, Chuck e Jim souberam que a reunião seria realizada no Grange Hall, em Wheat Ridge, uma cidade na fronteira norte de Lakewood, no número 3130 da Youngfield Street. Jim se afastou do grupo e fez uma ligação telefônica para o detetive disfarçado da polícia de Denver a respeito do local da reunião. Disse ao detetive para estar lá a fim de ser introduzido na Klan. Jim e Chuck então saíram do restaurante e se puseram a caminho de Grange Hall.

Quando chegaram, Ken já estava lá com o detetive de Denver. Ken o ajudava a preencher o formulário de inscrição da Klan e recebia o pagamento da anuidade. Com esse requerimento, um total de doze pessoas seriam nacionalizadas como membros da Klan (oito de Colorado Springs e quatro de Denver, o que incluía um agente secreto de Denver). Assim, dos doze novos membros, três eram policiais disfarçados.

A cerimônia durou aproximadamente sessenta minutos, oficiada por David Duke; David Lane, que era o organizador de Denver; Ken O'Dell; e Joseph Stewart, o segundo em comando de Ken. Duke usava sua túnica da Klan, representando sua posição como o Grande Mago, e todos os outros também estavam vestidos com suas respectivas indumentárias da Klan. Tratava-se de uma ocasião solene sob a luz de velas que começou com o juramento de fidelidade. Ao longo da noite, cada um dos oficiantes leu uma parte dos ritos da cerimônia. Uma das primeiras coisas que os iniciandos tiveram que fazer foi responder "sim" às seguintes dez perguntas:

1. *Você é um cidadão americano branco não judeu?*
2. *A razão que motiva sua ambição de ser um ser um membro da Klan é sincera e altruísta?*
3. *Você já foi rejeitado, por ficha de inscrição, para ser um membro dos Cavaleiros da Ku Klux Klan?*
4. *Você acredita na Constituição dos Estados Unidos?*
5. *Você é a favor que homens brancos governem este país?*
6. *Você acredita no direito dos homens livres de se rebelarem contra a tirania do governo?*
7. *Você acredita em Separação Racial?*

8. Você acredita no direito de nosso povo de praticar a Fé Cristã em qualquer lugar em que se reúna, incluindo orações em escolas e instalações públicas?
9. Você vai fielmente obedecer aos regulamentos e à Constituição da Klan?
10. Você está disposto a dedicar sua vida à proteção, preservação e progresso da raça branca?

A certa altura da cerimônia, os membros da turma foram solicitados a se ajoelharem e rezarem enquanto Duke borrifava "água benta" sobre eles e recitava as palavras "Em corpo, em mente, em espírito", assemelhando-se à bênção usada na Igreja Católica — "Em nome do Pai, do Filho e do Espírito Santo". (É irônico que a KKK agregue um trecho do serviço católico, uma fé que eles historicamente menosprezam, a uma de suas cerimônias mais sagradas. É uma de suas muitas hipocrisias descaradas.)

Essa oração prosseguia assim:

Deus nos dê verdadeiros homens brancos! O Império Invisível exige mentes fortes, grande coração, fé verdadeira e mãos prontas.
Homens que a luxúria do ofício não mata;
Homens que os despojos do ofício não podem comprar;
Homens que possuem opiniões e vontade;
Homens que têm HONRA; homens que não Mentem;
Homens que diante de um demagogo mandam às favas suas lisonjas traiçoeiras sem piscar!
Homens altivos, coroados pelo sol, que vivem acima do nevoeiro no dever público e no pensamento privado;
Pois enquanto a ralé, com seus credos desgastados,
Suas grandes declarações e seus pequenos feitos,

Misturam-se em disputas egoístas, Oh!
A liberdade lamenta que ERROS governem a terra, e à espera a justiça dorme.
Deus nos dê os verdadeiros Homens Brancos que não servem para o saque egoísta.
Mas homens de verdade, corajosos, que não recuam no dever;
Homens de caráter confiável; homens de valor esterlino;
Então os erros serão corrigidos, e o certo dominará a terra; Deus nos dê verdadeiros Homens Brancos!

Na conclusão da cerimônia, as quarenta pessoas presentes ficaram para assistir a *O Nascimento de uma Nação*. Chuck notou que a Posse Comitatus levara um detector de metais para a reunião a fim de impedir que qualquer convidado entrasse no local portando uma arma. Um indivíduo foi, de fato, pego com a ajuda do aparelho e foi barrado. Antes de comparecerem à cerimônia de iniciação, Chuck e Jim deixaram suas armas no carro. Jim e Chuck posaram para algumas fotos com David Duke. Duke autografou uma delas: "Para Rick Kelley, Poder Branco para Sempre".

Aproximadamente duas semanas depois, recebi um pacote de David Duke pelo correio, proveniente da sede nacional da Klan, em Louisiana. Dentro do pacote estava meu certificado de adesão assinado por Duke, validando minha afiliação aos Cavaleiros da Ku Klux Klan.

Em 8 de janeiro, Chuck recebeu uma ligação de Ken solicitando que fosse com ele a Denver para ajudar a fornecer segurança para David Duke durante suas palestras. Ele recebera a notícia de Fred Wilkens de que em uma das aparições de Duke havia cerca de vinte manifestantes gritando slogans contra ele e contra a Klan. Ken achava que a KKK deveria responder da mesma forma e mostrar força na próxima aparição de Duke. Ele disse que já havia convocado a ajuda de vários "motoqueiros amigos" da Klan e que se Chuck o acompanhasse, na próxima vez que Duke fosse atacado seria uma "combinação infernal". Chuck disse a Ken que, devido ao seu trabalho, ele não achava que teria condições de fazer a viagem.

Em 9 de janeiro, telefonei para Ken em sua residência e disse a ele que aparentemente uma manifestação antiKlan estava sendo planejada para a apresentação de Duke no estúdio da KKTV em Colorado Springs no dia 10 de janeiro, às 18h00. Tal manifestação não era segredo; a informação circulava na esfera pública, e eu estava buscando informações sobre qual reação, se é que havia alguma, a Klan planejara dar em nome de Duke. Ken respondeu que queria um comparecimento máximo dos membros locais no dia seguinte, mas falhou em sua missão de reunir cem membros trajados. Se eles marchassem, seria um completo embaraço para Duke e a Klan e, por isso, o plano de uma manifestação foi cancelado.

Ele iria ligar para o departamento de polícia solicitando proteção policial para Duke a fim de impedir qualquer demonstração explícita de violência por parte dos manifestantes. Então, ele revelou que Duke tinha um almoço programado com membros locais e a Posse Comitatus no Bonanza Steakhouse, 1850 N. Academy Boulevard. Depois disso, Duke faria uma aparição na KRDO-TV e, às 18h00, apareceria na KKTV para debater com um professor "crioulo" da University of Southern Colorado. Ken acrescentou que esperava que o Channel 9 News de Denver também cobrisse as aparições de Duke em Colorado Springs. Mais uma vez, a mídia ficou fascinada por Duke e a Klan, disposta a dar a ele e à sua causa a atenção e visibilidade que tanto desejavam. Naquele mesmo dia, recebi um telefonema de um dos manifestantes que conheci no protesto do Acacia Park. Ele afirmou que o grupo ao qual estava associado, Coalition Against Racism and Sexism (Coalisão Contra Racismo e Sexismo), havia mudado seu nome para Anti-Racism Coalition

(ARC). Ele disse que o Committee Against Racism (CAR), sediado em Denver, e o grupo Povo pelo Bem do Povo, de Colorado Springs, iriam se reunir no centro, no Giuseppe's Depot Restaurant, em 13 de janeiro, e marchariam até o Acacia Park, a cerca de 800 metros de distância, para uma manifestação contra a Klan. Fui convidado para participar e disse que estaria lá.

Cerca de meia hora depois da minha conversa com o manifestante, Ken telefonou para o comandante do turno da noite do departamento de polícia e identificou-se como o organizador local da Ku Klux Klan. Ele explicou ao tenente que David Duke tinha três visitas agendadas em Colorado Springs no dia seguinte e estava recebendo ameaças de morte por causa de sua posição como líder nacional da Klan. Ken solicitou proteção policial para Duke durante sua estada na cidade, entre meio-dia e oito da noite.

O tenente disse a Ken que o pedido seria encaminhado para a seção apropriada dentro do departamento. O tenente encaminhou o pedido de Ken para mim, na Unidade de Inteligência, porque entre nossas ocasionais atribuições estava a proteção de "VIPs/ Dignitários". Eu passei para o meu sargento a informação que o tenente recebera de Ken e voltei minha atenção aos nossos planos e estratégia para a visita de Duke no dia seguinte. A segurança e proteção de David Duke não eram coisas com que eu achasse que teria que me preocupar. Mal sabia eu.

9

DUKE DO COLORADO

Dez de janeiro, o grande dia que todos esperavam desde o início desta investigação, finalmente chegara. David Ernest Duke, Grande Mago dos Cavaleiros da Ku Klux Klan, encontrava-se com sua comitiva de membros da Klan no Bonanza Steakhouse. A reunião deles estava marcada para o meio-dia; no entanto, naquela manhã cedo, fui convocado ao gabinete do chefe de polícia.

O chefe explicou que o departamento havia recebido várias ameaças contra a vida de Duke por causa de sua visita a Colorado Springs e não queria que nada lhe acontecesse enquanto estivesse na cidade "dele". Na mais recente reviravolta do destino desta investigação, o chefe disse que queria que eu, Ron Stallworth, integrante "negro" oficial da Ku Klux Klan, com carteirinha e tudo, atuasse como segurança pessoal de Duke enquanto ele estivesse aqui. Como tínhamos dois policiais disfarçados com os membros da Klan, o chefe achava que somente eu seria suficiente; se qualquer coisa que pudesse causar sérias consequências se desencadeasse, os dois policiais poderiam, por necessidade, romper o disfarce e vir em meu auxílio. Além disso, o chefe havia alertado nosso comandante do turno diurno sobre as aparições de Duke, e os patrulheiros uniformizados trabalhando em áreas específicas prestariam atenção extra àqueles locais e às ações de quaisquer manifestantes contra a Klan que pudessem estar na área.

Eu aleguei ao chefe que "colocar-me nessa posição poderia comprometer o caso, porque toda essa investigação girava em torno do entendimento da Klan de que 'Ron Stallworth' era um de seus membros brancos, não um policial 'negro'". Salientei que eu poderia encontrar alguém durante essa escolta que talvez revelasse o meu nome, causando assim uma confusão, sem mencionar o potencial fator de risco para Chuck e Jim; e a Posse Comitatus fazia parte dessa comitiva e a maioria das pessoas, se não todas elas, provavelmente estaria armada.

Ele entendeu minhas preocupações, mas sentiu que as ameaças eram sérias o suficiente para justificar essa solicitação especial; além disso, não havia mais ninguém disponível naquele momento e, por causa da minha ligação com o caso, achou que eu era a melhor pessoa, dentro das circunstâncias.

Eu não fiquei satisfeito com a decisão do chefe. O risco de as identidades secretas de Chuck e Jim serem comprometidas no caso de um incidente sério contra Duke acontecer que justificasse minha necessidade da ajuda deles era, na minha opinião, grande demais. Deixei, relutante, o seu escritório com as minhas ordens para proteger o líder do Klan.

Eu deveria proteger Duke não no meu uniforme, mas como um policial à paisana. Pareceria a qualquer observador externo que um homem negro estava confraternizando com a Klan. Mais uma vez, formulei objeções ao chefe pelo ridículo dessa ordem, mas carreguei minha arma com cinco balas para matar cinco idiotas, caso fosse necessário, e parti para cumprir as ordens.

Na reunião do meio-dia no Bonanza Steakhouse, eu estava cercado por membros da Klan, uma situação desconfortável para a maioria dos homens negros, mas apenas mais um dia de trabalho para mim. Estavam presentes David Duke, Fred Wilkens, Ken O'Dell, Joseph Stewart, Chuck, Jim e vários outros membros locais. Chuck e Jim não sabiam que eu fora designado para atuar como guarda-costas de Duke até eu entrar no restaurante. Eu lhes lancei um olhar que dizia: "Está tudo bem, não se assustem", e fomos cuidar das nossas vidas com apenas um aceno de cabeça trocado entre nós.

Também estavam presentes o líder da Posse Comitatus, Chuck Howarth, e muitos dos seus membros. Vários deles levaram as esposas para o almoço. Para eles, encontrar Duke e compartilhar uma refeição e um momento pessoal com ele era semelhante a um americano patriota que compartilhava um momento semelhante com o presidente dos Estados Unidos. Estavam literalmente maravilhados com a presença de Duke, e eles se deleitavam no que achavam ser sua glória.

Todos estavam relaxados quando entrei em contato com Duke. Ken e vários dos membros da Klan, junto com Chuck Howarth, reuniram-se para ouvir o que eu tinha a dizer.

Estendi minha mão para Duke — dirigindo-me a ele como "senhor Duke" — que ele recebeu e apertou da maneira da Klan, com o indicador e o dedo médio estendidos ao longo do interior do pulso enquanto pressionava as pontas dos dedos na carne à medida que a mão era balançada. Mais tarde, fiquei sabendo que esse era o aperto de mão "secreto" da Klan.

— Sou detetive do Departamento de Polícia de Colorado Springs — apresentei-me. Evitei de propósito mencionar o meu nome e já me livrei disso. Eu estava preparado para dar um dos meus nomes de fachada se necessário.

— Isso é bom. Eu aprecio os esforços do departamento de polícia. Obrigado — agradeceu Duke, ainda segurando minha mão.

— Só quero que saiba que não concordo com a sua missão, declarações, campanhas ou organização de forma alguma. Mas cumprirei o meu dever profissional para assegurar que você saia da minha cidade com vida.

— Tudo bem — ele disse, soltando a minha mão.

De um jeito estranho, eu tinha muito em comum com Fred Wilkens naquele momento. Ele mantivera sua função como bombeiro por causa de sua promessa de honrar seu dever profissional de servir e proteger toda a população que atendia, enquanto em seu coração odiava muitos deles. Isso era exatamente o que eu estava fazendo naquele dia em Colorado Springs, mas ao contrário. Eu teria evitado que alguém matasse David Duke naquela sua visita à cidade, apesar de meus sentimentos pessoais de que o que ele era, e tudo o que ele representava, merecia ser destruído.

Fiquei um pouco apreensivo a princípio por Ken, Fred e Duke ouvirem a minha voz por um longo período, achando que isso talvez disparasse algum gatilho em suas lembranças de nossas muitas conversas telefônicas, mas eles nunca a reconheceram. Minha apreensão logo deu lugar a uma sensação renovada de confiança de que aqueles três indivíduos e seus seguidores haviam sido completamente ludibriados, iludidos a ponto de serem incompetentes.

Eu disse ao "senhor Duke" que nós (o DPCS) havíamos recebido ameaças contra o seu bem-estar. Evitei de propósito contar a ele que eram ameaças de morte. Disse-lhe que eram sérias o suficiente para garantir que eu fosse designado pelo chefe de polícia como seu agente de segurança pessoal durante sua estada na cidade.

O PLP estava sempre ameaçando Duke, e eles falavam sem rodeios em lutar contra a Klan. Eu estava na posição singular de poder reconhecer tanto os membros da Klan quanto os membros do PLP que estavam doidos para confrontar a KKK.

Percebi que, ao ouvirem a declaração de que eu iria cuidar da proteção de Duke, Fred, Ken e vários outros começaram a sorrir. Eu não sabia dizer se estavam sorrindo de alívio porque as ameaças contra seu líder tinham sido levadas a sério a ponto de o departamento de polícia tomar medidas oficiais em sua defesa, ou se estavam sorrindo por causa do espetáculo incongruente diante deles: um policial "crioulo" sendo responsável pela segurança pessoal e bem-estar de seu líder, o Grande Mago dos Cavaleiros da Ku Klux Klan. Qualquer que fosse a motivação deles, trouxe sorrisos a seus rostos. Devo confessar que eu também estava rindo por dentro.

Justiça seja feita, Duke estava muito agradecido pela consideração do departamento de polícia por seu bem-estar e expressou de forma generosa sua gratidão pelo fato de o departamento ter assumido essa responsabilidade.

Essa gratidão foi ecoada por Ken O'Dell e Fred Wilkens.

Enquanto tudo isso acontecia, Chuck Howarth ficou apenas parado ali perto, fuzilando-me com os olhos. Ele era uma das minhas principais preocupações em ter minha identidade como o "real" Ron Stallworth comprometida, porque eu já havia entrado em contato com ele em pelo menos duas ocasiões, embora não conseguisse me lembrar se já lhe dissera meu nome ou não. Enquanto permanecia ali, acredito que ele me reconheceu de um dos nossos encontros anteriores. Afinal de contas, eu era o único detetive negro do departamento na época, mas ele aparentemente não se lembrava do meu nome, se é que o conhecia, e assim a farsa da infiltração que Chuck, Jim e eu armáramos na Klan permaneceu intacta.

Então, pedi ao "senhor Duke" um favor. Ele concordou cordialmente com o meu pedido sem antes perguntar do que se tratava. Eu havia levado uma câmera Polaroid.

— Senhor Duke, ninguém nunca vai acreditar em mim se eu disser que fui o seu guarda-costas. O senhor se importaria de tirar uma foto comigo?

Ele, Wilkens e Ken sorriram com o meu pedido e concordaram em posar para uma foto. Num toque final de gozação, entreguei a câmera a Chuck, o Ron Stallworth "branco", e pedi-lhe que tirasse a foto. Tanto ele quanto Jim mal podiam se conter diante de minha insolente demonstração de pouco-caso à custa dos membros da Klan. Eu tinha conseguido que o Grande Mago e o Grande Dragão do Colorado/organizador estadual da Ku Klux Klan concordassem em tirar uma foto comigo, um dos "crioulos" que eles desprezavam, mas que agora estava atuando como seu guarda-costas, e o fotógrafo era o policial disfarçado que eu havia infiltrado no grupo e que todos eles conheciam como sendo eu: Ron Stallworth.

Fiquei entre os dois líderes da Klan, Wilkens à minha esquerda e Duke à minha direita, e coloquei meus braços ao redor de seus ombros. Wilkens achou divertido, rindo das minhas palhaçadas e enxergando o humor óbvio e talvez a publicidade que poderia ser obtida de uma foto dessas. Duke, no entanto, não viu o humor em minhas ações. Ele recuou enquanto afastava o meu braço de seu ombro e disse:

— Sinto muito, mas não posso ser visto numa foto com você assim.

Wilkens então parou de rir, mas manteve um sorriso no rosto. Eu respondi:

— Eu entendo; com licença um instante.

Fui até Chuck, que ainda segurava a câmera e, enquanto fingia lidar com um assunto relacionado à câmera, sussurrei para ele:

— Quando você me ouvir dizer três, tire a foto. — Voltei para Wilkens e Duke e reassumi a minha posição entre eles, exceto que dessa vez minhas mãos estavam unidas, na altura da minha cintura. Todos sorrimos para a câmera e eu contei: — Um, dois, três.

Uma fração de segundo antes da contagem de três, levantei minhas mãos e, mais uma vez, coloquei meus braços no ombro direito de Wilkens e no esquerdo de Duke. Naquele exato momento, Chuck tirou a foto antes que Duke pudesse reagir.

Usei esse truque em parte porque ninguém jamais acreditaria que eu estava levando a cabo essa investigação. Eu tinha o cartão de membro, tinha o certificado, mas a foto seria a prova visual de tudo, e o verdadeiro constrangimento para David Duke. Ali estava um homem negro confraternizando com ele. Eu estava determinado a consegui-la.

Era uma Polaroid e com o tempo acabei perdendo a foto.

Duke imediatamente se desvencilhou de mim e partiu na direção de Chuck, como se estivesse reagindo ao tiro de partida numa corrida nas Olimpíadas. Eu, no entanto, tinha sido atleta na escola e meu tempo de reação foi uma fração de segundo mais veloz. Nós dois estávamos indo em direção a um objetivo comum: Duke queria apanhar a câmera de Chuck para destruir a foto, que ele via como prejudicial à sua imagem; e eu, por outro lado, não deixaria que ele pegasse a *minha* câmera ou destruísse a *minha* foto.

Duke estendeu o braço para tirar a câmera da mão de Chuck, mas eu fui mais rápido. Ele então se aproximou de mim para retirá-la da minha mão e eu o encarei com o meu olhar mais frio e intimidador, então o adverti:

— Se você me tocar, vou prendê-lo por agressão a um policial. Isso dá mais ou menos cinco anos de prisão. NÃO FAÇA ISSO!

Duke parou de imediato, a meio caminho. O sorriso que estivera no rosto de Fred Wilkens desapareceu. David Duke me fulminou com o mais intenso olhar de raiva e desprezo imaginável e eu sorri maliciosamente para ele com a câmera na mão. Nesse momento em particular, o Grande Mago da Ku Klux Klan percebeu com clareza que ele era um homem derrotado, à mercê da "coisa" (não "alguém") que ele mais odiava — um "crioulo" intelectualmente inferior, um selvagem, semelhante a um símio na mente dele e da Klan. A diferença, entretanto, era que nesse caso a criatura inferior carregava um distintivo e tinha a força da lei por trás dela e estava disposta a usá-la para provar o seu ponto de vista. Eu não tinha dúvidas de que, quando Duke recuou da tentativa de tirar a câmera da minha mão, depois de ouvir a minha advertência, ele sabia que eu estava falando sério e seus seguidores também. Eu, pessoalmente, me deleitei com a tortura infligida a ele e aos outros.

Olhei para aquela foto Polaroid se revelando e pensei em meus ancestrais espirituais ao longo do tempo: negros e brancos, protestantes, católicos e judeus, que haviam lutado tão bravamente contra a brutalidade da Ku Klux Klan por décadas e décadas. Eles haviam perdido porque não tinham estado em posição de domínio e controle, que era onde eu me encontrava. Refleti sobre os envolvidos nas "linhas de frente" da luta pelos direitos civis: o doutor Martin Luther King Jr. e seu principal conselheiro, o doutor Ralph David Abernathy; o congressista John Lewis, da Geórgia, que teve seu crânio arrebentado por um policial que simpatizava com a Klan e outros que tinham sido submetidos a prisões arbitrárias, com base nas leis de Jim Crow da época, justificando a segregação entre negros e brancos; espancamentos físicos, às vezes pelas mãos da polícia; pensei na agressão com jatos de água de alta pressão e cães policiais, pastores alemães que eram empregados pelo comissário de polícia Bull Connor em Birmingham, Alabama, contra manifestantes pacíficos e não violentos dos direitos civis; estupro de mulheres, vítimas de ataques noturnos de atiradores de tocaia e bombas. Essas eram cenas que eu estava acostumado a ver diariamente na minha juventude no noticiário da noite.

Refleti sobre 4 de abril de 1968, aquele dia no meu primeiro ano na Austin High School em El Paso, Texas, quando o diretor anunciou pelos alto-falantes que o Martin Luther King havia sido morto em Memphis, Tennessee. Lembrei-me do silêncio que se abateu sobre toda a escola, mesmo quando fomos dispensados cedo das aulas para ir para casa e evitar as ramificações desconhecidas do que poderia acontecer depois de sua morte (não houve tumultos em El Paso). Um misterioso silêncio, quase sepulcral, envolveu todo o corpo discente de aproximadamente dois mil estudantes, enquanto eles passavam das salas de aula para seus armários e depois para fora da escola. Os primeiros sons discerníveis eram de meninas soluçando e as reflexões sussurradas, do tipo "Eu não posso acreditar" ou "Oh, meu Deus, e agora?". Com dois dos meus amigos, fui para a casa de um que tinha uma gravação de rolo de fita do discurso agora famoso "Eu tenho um sonho", de Martin Luther King. Sentamo-nos na sala da casa dele e ouvimos várias vezes aquela voz estrondosa que assombra nossa consciência até hoje, ecoando: "Finalmente livres, finalmente livres, graças a Deus todo-poderoso, estamos livres finalmente!". Quando escutávamos já pela terceira vez o seu discurso, todos nós tínhamos lágrimas nos olhos diante da crueza do que acontecera para mudar o curso de nossa realidade coletiva "negra". Também pensamos aonde nós, como pessoas, iríamos a partir dali, sem a voz de Martin Luther King para nos guiar.

Esses foram os pensamentos que passaram pela minha cabeça naquele encontro com David Duke. Senti uma conexão com aqueles muitos "frutos estranhos e amargos", sobre os quais cantava Billie Holiday; corpos linchados, pendurados nas árvores ao longo das décadas por causa das pavorosas atrocidades perpetradas contra eles; e com todos os outros esquecidos, aterrorizados pelo domínio e controle autoritário da Klan e dos David Dukes das gerações passadas. Neste caso, no entanto, as posições haviam sido invertidas. Era eu que estava no controle, não o Grande Mago nem seus partidários da Klan. Eu mantinha o domínio sobre David Duke, e era óbvio que ele não gostava disso. Em essência, ele havia assumido o papel de "crioulo" nessa situação e eu era o seu "sinhô" com um distintivo e a força da lei para me apoiar. Devo acrescentar com pesar que aquela foto foi emoldurada, mas infelizmente enterrada numa caixa entre diversas outras caixas que se acumularam ao longo dos 35 anos subsequentes e quatro transferências pelo oeste dos Estados Unidos.

Duke continuou a me encarar com a expressão mais intensa de raiva, desprezo e talvez até ódio que eu experimentara até aquele momento. Eu prendera cafetões, prostitutas e traficantes de drogas e os colocara na cadeia e na prisão por vários meses e/ou anos que não tinham vomitado a bile visual que recebi de David Duke. Acredito que, se ele pudesse ter demonstrado a profundidade de sua humilhação na forma de violência e escapado ileso, teria feito isso. Sem dizer uma palavra, ele se virou e se afastou, seguido por Wilkens, Ken, Chuck, Jim e o restante de sua comitiva.

O almoço foi servido enquanto eu me sentava à parte, observando. Duke fez alguns comentários típicos sobre superioridade racial branca na reunião combinada da Klan/Posse. Eu estava à vista dele e de sua plateia e não tentei esconder minha diversão com suas afirmações de superioridade branca/inferioridade negra, enquanto ele e seus ouvintes tentavam ignorar por completo que suas alegações tinham sido destruídas havia alguns minutos por um dito negro "inferior". Devo ressaltar que em nenhum momento ele usou o termo pejorativo "crioulo" em seus comentários, pois estava exibindo sua face "pública" como representante da "nova Klan".

Após o almoço, o grupo se deslocou para o estúdio da KR-DO-TV, onde Duke foi entrevistado. De lá, foram levados para a casa do líder da Posse, Chuck Howarth, para uma reunião de "cúpula". Enquanto estavam lá dentro, fiquei sentado no meu carro, dando proteção.

Duke e Howarth conversaram livremente sobre as atividades de seus respectivos grupos. Howarth, em particular, falou com entusiasmo a respeito das ações que a Posse havia empreendido recentemente; disse a Duke que a Posse estava por trás das recentes tentativas de revogar o mandato do prefeito de Colorado Springs, Larry Ochs, e as emendas limitando os poderes do conselho municipal, ambas iniciativas derrotadas pelos eleitores. Howarth alegou que, por causa desses esforços, a casa dele havia sido atacada com bombas em duas ocasiões.

Howarth continuou a explicar a Duke que, em tempos de paz, a Posse Comitatus era apenas um grupo. Entretanto, a qualquer momento eles poderiam "mudar de propósito" e se tornar uma milícia. Afirmou também que tinha um líder da Posse em cada um dos 64 condados do estado, implicando assim que ele era o líder do estado, o que nunca foi comprovado.

Howarth então enveredou por um discurso racista de sobrevivencialismo; estava certo de que logo haveria uma epidemia de fome e os mais preparados teriam que pegar em armas contra aqueles que não estavam preparados. As minorias não estavam se preparando para esse evento calamitoso e, como resultado, a raça branca ariana seria a última sobrevivente e imporia sua vontade ao restante da sociedade. Howarth indicou que queria entrar em contato com a Klan havia dois anos, quando viu seu anúncio de jornal pela primeira vez, mas teve medo de agir devido ao receio de que o anúncio pudesse ter sido "plantado" pelo FBI.

Enquanto estavam na casa de Howarth, Chuck e Jim conseguiram confiscar sub-repticiamente a cópia de Fred Wilkens de *The White Primer: A Dynamic Racial Analysis of Present Day America from the Viewpoint of the White Majority* [A cartilha branca: uma análise racial dinâmica da América atual do ponto de vista da maioria branca]. Fora supostamente publicado por um tal de C. W. Bristol. Verifiquei o nome em todas as bases de dados da polícia — tanto no estado quanto fora dele — possíveis na época e não consegui encontrar nada. Um detetive da inteligência de Nova Orleans me disse que C. W. Bristol era um pseudônimo usado por David Duke, embora eu nunca tenha conseguido confirmar isso. O livro de 96 páginas era vendido pelos escritórios nacionais de Duke e anunciado no jornal da Klan, *The Crusader*. Mais tarde, descobri que *The White Primer* foi escrito por George Lincoln Rockwell, fundador do Partido Nazista Americano.

Esta é mais uma incoerência na Ku Klux Klan e entre a maioria dos outros grupos de supremacia branca. Eles professam subscrever os mais altos ideais do americanismo — celebrando a Constituição dos EUA e saudando a bandeira americana no processo —, contudo, colocam no seu panteão de heróis tipos como Adolf Hitler, enquanto entoam louvores ao movimento nacional-socialista (Partido Nazista) que ele fundou, e que levou o mundo à beira da destruição há mais de sessenta anos. Listado nesse panteão está George Lincoln Rockwell, um americano condecorado na Segunda Guerra Mundial e comandante da Marinha na Guerra da Coreia, que fundou o Partido Nazista Americano. A saudação da KKK é até mesmo um reflexo da influência nazista (o braço direito levantado, palma para baixo, semelhante à saudação nazista vista com tanta frequência nas imagens de soldados alemães em documentários).

O *White Primer* é o manifesto de Rockwell sobre relações raciais nos Estados Unidos: por que os negros são inferiores aos brancos e estão, em geral, mais próximos na escala genética aos macacos, e por que os judeus são intrinsecamente desonestos, com negros atuando como seus fantoches para explorar a providência branca. Ambos são responsáveis por destruir a América e aviltar a raça branca.

Quando ele descobriu que sua cópia do *White Primer* havia sumido, Fred Wilkens revirou freneticamente a casa buscando por ela, perguntando às pessoas se a tinham visto. Ele jamais percebeu que um de seus membros da Klan, Jim, havia deslizado o exemplar para debaixo da camiseta coberta por sua camisa e jaqueta de inverno, e no final das atividades da noite o livro estava em minhas mãos.

Às cinco horas da tarde, os membros da Klan foram até a estação de rádio KRDO para outra entrevista de Duke. Cumprindo minha função designada de escolta pessoal de segurança, acompanhei o grupo até aquele local em meu carro de polícia sem identificação. Duke, ainda aborrecido comigo por causa da humilhação a que o submetera, mais cedo, no almoço, manteve silêncio quando me tinha por perto, a ponto de se recusar a reconhecer a minha presença. Gostasse disso ou não, o Grande Mago por um pouco mais de tempo teria um "crioulo" em sua vida que ele não podia dominar e controlar dentro das melhores tradições do "Velho Sul". Havíamos medido forças e eu saíra por cima, e, sem o conhecimento dele, ainda estávamos fazendo a ele e sua organização de bobos.

Na conclusão da entrevista de rádio, com seu típico discurso filosófico e ideológico sobre supremacia branca, inferioridade negra e corrupção judaica, Duke e sua comitiva seguiram para o estúdio da KKTV para seu debate com o professor de História negro da Southern Colorado University, localizada em Pueblo, cerca de sessenta quilômetros ao sul de Colorado Springs.

Enquanto nos dirigíamos ao estúdio de televisão, recebi da central de polícia a informação de que uma ameaça anônima de bomba havia sido feita por telefone para o estúdio, colocando em risco a vida de Duke. A pessoa que ligou também afirmou que mais tarde, naquela noite, seria realizada uma reunião no Northwest Community Center, localizado na Willamette, 605, para discutir uma reação à crescente notoriedade da Klan em Colorado Springs. Quando chegamos ao estúdio, havia vários manifestantes contra Duke/Klan protestando na entrada do prédio do estúdio de televisão. Xingavam Duke e sua comitiva da Klan e alguns atiravam pequenas pedras neles.

Dentro do estúdio, Duke preparava-se para debater com o professor negro sobre História Americana, direitos civis e a Klan. Para mim, de pé atrás das câmeras, o debate era difícil de assistir. Como debatedor, Duke era educado ao expor o seu lado da questão e extremamente articulado em apresentar justificativa para sua posição. Ele sempre era sereno e polido em seu comportamento e parecia se tornar ainda mais em face de ataques *ad hominem* por aqueles não tão versados como ele. Mesmo quando sua falsa alegação de fatos em apoio às suas crenças racistas era agressivamente contestada por seus oponentes, Duke permanecia sereno e apresentava uma resposta bem fundamentada com base em seu pensamento, o que muitas vezes os deixava parecendo confusos e ele, quase brilhante.

Tal era o estado de coisas, a meu ver, em seu debate televisionado com o professor negro. Duke parecia dominar a discussão, apesar do conhecimento do professor sobre fatos históricos relacionados às relações raciais e ao histórico de terrorismo supremacista branco da Klan. O controle do debate por parte de Duke, do meu ponto de vista, subjugou por completo o professor. Com toda a certeza, é provável que ele tenha tido sua dose de vingança contra a humilhação anterior em minhas mãos, vendo-se redimido à custa desse "crioulo acadêmico".

Fiquei triste em ver como o professor ficou abalado, e com raiva por constatar como a língua ferina de Duke podia ser convincente ao cuspir as mais doces e tóxicas mentiras.

Depois que as câmeras pararam de gravar, saímos do estúdio.

Findo esse debate, os negócios de Duke em Colorado Springs estavam terminados. Meu papel na visita, ajudando a garantir sua segurança, foi apreciado por Fred Wilkens, que me agradeceu e apertou a minha mão, mas Duke ainda se recusava a reconhecer a minha presença. Wilkens me disse que ele e Duke iriam voltar para Denver. Segui o carro deles até a via de acesso à Interstate 25 mais próxima, a fim de garantir sua segurança até sua saída da cidade. Meu serviço público como guarda-costas do Grande Mago estava agora concluído.

10

A FORTALEZA DAS MONTANHAS ROCHOSAS

A visita de Duke foi, por falta de uma palavra melhor, um sucesso. David Duke havia sobrevivido, nenhum tumulto eclodiu, Ken tinha estragado (por sua própria inépcia natural) uma manifestação pública da Klan, mas também haviam sido recolhidas informações significativas. Profissionalmente, eu me sentia ótimo. Colorado Springs fora protegida com êxito, não houve queimas de cruzes e até mesmo resguardar David Duke fora um sucesso. Eu estava orgulhoso do trabalho que minha equipe realizara.

Pessoalmente, admito que houve momentos em que eu queria me afastar e permitir que a multidão que estava do lado de fora da KKTV fosse para cima de Duke, Fred e do restante deles. Estar lá com a KKK era surreal, assustador e estimulante, tudo ao mesmo tempo. Quando eu rememoro aquele dia com David Duke, parece-me realmente cômico. Eles haviam admitido três policiais na Klan e estavam sendo protegidos justo pelo policial que liderava a investigação sigilosa sobre eles. Eu ficara bem ao lado de Duke e conversara com ele muitas vezes.

Por mais engraçado que tenha sido, nunca perdi de vista o perigo que eles representavam. Se estivessem em seu auge, como os homens da Klan do passado, eles poderiam ter causado sérios danos e manifestações terroristas. Todos aqueles homens tinham acesso a armas, e o dia poderia facilmente ter se transformado em tragédia. Então, embora tivéssemos sobrevivido à visita de David Duke, nosso trabalho estava longe de terminar.

Em 13 de janeiro, a manifestação contra a Klan foi realizada no Acacia Park. Essa era a mesma manifestação para a qual eu fora convidado em 9 de janeiro e de novo em 11 de janeiro. Desde então, conversei com Ken ao telefone e soube que ele planejava estar lá, como ele disse, "disfarçado", usando sua túnica da Klan, para que pudesse tirar fotos dos oradores do protesto, em particular dos de Denver.

Eu estava lá como policial infiltrado, à paisana, monitorando a situação.

Ken chegou ao parque pouco depois do meio-dia, tirou cerca de seis fotos e seguiu para a sua picape. A essa altura, surgiu um novo obstáculo, confundindo meus esforços para controlar essa investigação.

Embora nós na Unidade de Inteligência tivéssemos tentado manter a investigação em segredo o máximo possível, era inevitável que, quanto mais pessoas soubessem, maior o risco de que a história sobre estarmos conduzindo uma investigação secreta singular se espalhasse. Praticamente todo o sistema de justiça criminal de Colorado Springs sabia sobre o "policial negro maluco" que estava realizando uma operação na KKK e que havia se tornado membro do grupo.

Um dos meus colegas que ouvira falar da investigação era o policial Ed. Na estrutura de comando do departamento, a Costumes e a Inteligência eram supervisionadas pelo mesmo sargento;

portanto, o policial Ed e eu respondíamos ao sargento Trapp. Nossas semelhanças terminavam por aí, porque seu trabalho era se concentrar nas atividades da delegacia de costumes dentro da cidade e nada mais. No dia do protesto no Acacia Park, no entanto, ele havia sido enviado comigo para monitorar a manifestação, em essência agindo como meu reforço, e nada mais. Ele optou, no entanto, não apenas por assumir essa simples tarefa como ir muito além, o que me causou preocupação e me forçou mais tarde a levar a questão ao sargento Trapp.

O policial Ed avistou Ken no parque e resolveu ir até ele e se apresentar. Disse a Ken que estava acompanhando seus movimentos pelos jornais e pensava que ele e a Klan estavam fazendo a coisa certa. O policial Ed disse a Ken que achava que os manifestantes eram "uns mentirosos de merda", e que estava interessado em conversar melhor com ele. Solicitou material de leitura da Klan porque estava interessado em se juntar ao grupo.

Ken foi receptivo à proposta do policial Ed, dizendo que estava feliz em ouvi-lo falar aquilo sobre os manifestantes e desejou que mais pessoas compartilhassem do mesmo ponto de vista.

A essa altura, Ken, que estava acompanhado por Tim, notou que vários manifestantes o reconheceram, e os dois entraram rapidamente em sua picape, preparando-se para deixar o local. Antes de fazê-lo, Ken entregou ao policial Ed um cartão de visita da Klan e disse-lhe que escrevesse para o endereço no cartão com a solicitação do material, que lhe seria enviado.

O policial Ed, no fundo, fez o que eu havia feito três meses antes para pôr a investigação em curso — coisa que ele sabia —, só que, em virtude de ser um policial branco, foi capaz de ter um contato cara a cara com Ken em vez de uma conversa telefônica. Quanto ao material que pedira a Ken, eu tinha todas as publicações da Klan que queríamos ou precisávamos, incluindo uma assinatura do jornal deles, *The Crusader*. Ed não conseguiu nada a não ser se meter numa investigação que não necessitava ou desejava sua presença. Eu já tinha dois policiais disfarçados — Chuck e Jim — disponíveis para qualquer contato cara a cara que fosse preciso e não via necessidade de supervisionar um terceiro policial. O empenho do policial Ed estava literalmente dois meses atrasado.

Alguns dos manifestantes se aproximaram da picape enquanto Ken se afastava do policial Ed. À medida que o fazia, Tim abriu a jaqueta para revelar uma camiseta da Ku Klux Klan, colocou uma máscara de esqui com aberturas para os olhos e ergueu o punho direito para os manifestantes que se aproximavam, enquanto a picape acelerava rua abaixo. O veículo parou num cruzamento, bem ao lado de um veículo de notícias da KKTV. Ken gritou para os ocupantes:

— Vocês querem uma entrevista?

Os jornalistas, mais uma vez demonstrando cumplicidade em promover os esforços da Klan, seguiram a picape de Ken por alguns quarteirões, os dois veículos pararam e os ocupantes fizeram contato. Entrevistaram Ken por cinco minutos e depois todos deixaram o local. A entrevista de Ken foi ao ar no noticiário das dez naquela noite.

Eu levantei a questão da indiscrição do policial Ed com o sargento Trapp, que disse a ele para se ater à sua área de trabalho e ficar de fora da minha investigação, a menos que fosse instruído de outra forma. A insistência do policial Ed em se meter no caso se tornaria um pesadelo recorrente para mim.

Enquanto isso, o protesto no Acacia Park atraiu uma multidão estimada em cem pessoas, número que a Klan fracassou em reunir para si própria. Douglas Vaughn dirigiu-se à multidão e disse que era membro do PLP. Ele distribuiu vários panfletos do INCAR para a plateia, além de cartazes, contendo slogans contra a Klan. Ele segurava um megafone numa das mãos e um taco de beisebol para arrebentar cabeças na outra, enquanto liderava os manifestantes em vários gritos de protesto:

Ku Klux Klan, Scum of the Land [Ku Klux Klan, escória da nação]

e

Duke, Duke, Duke the Puke [Duke, Duke, Duke, o nojento]

Doug me pediu várias vezes para que eu me dirigisse à multidão, mas fingi uma timidez reservada quanto a falar diante de um grupo desconhecido de pessoas e recusei todas as solicitações. A manifestação reuniu uma grande variedade de grupos ativistas comunitários baseados em Colorado Springs e Denver, incluindo:

La Mecha (Universidade do Colorado em Colorado Springs)
União dos Estudantes Negros (Universidade do Colorado em Colorado Springs)
La Raza (Colorado Springs)
Coalizão Antirracista (Colorado Springs)
Povo pelo Bem do Povo (Colorado Springs)
Coalizão Gay (Denver)
PLP/INCAR (Denver)
Conselho dos Trabalhadores Unidos do Colorado (Denver)

Marianne Gilbert, do INCAR, apresentou-me a seu marido, Alan. Ela me convidou para participar de uma reunião naquela noite numa residência em Colorado Springs para discutir a formação de uma divisão do INCAR na cidade. Ela também me apresentou a um soldado negro de Fort Carson e sua esposa, que ela disse estar encarregada de organizar o pessoal militar de Fort Carson em nome do INCAR.

Recusei-me a participar da reunião naquela noite por causa da falta de tempo para preparar adequadamente as contingências de vigilância de reforço policial e outras questões.

A atitude geral da multidão era pacífica e não violenta, com exceção de Doug Vaughn e do pessoal do INCAR, que defendiam abertamente um confronto violento com a Klan e, se necessário, com a polícia. Um representante da União dos Estudantes Negros do Colorado College, durante seu discurso à multidão, disse: "Se a polícia não parar a Klan, o único recurso é contar com as massas para impedir a disseminação da mensagem de ódio deles".

No final dos discursos, a multidão percorreu os três ou quatro quarteirões até o Complexo Judicial, onde a manifestação se desfez.

Antes de sair do parque, Marianne, Alan e Doug mais uma vez me convidaram para participar de um jantar mais tarde naquela noite a fim de discutir a formação de uma divisão do INCAR em Colorado Springs. Eu, novamente, recusei, mas deixei a porta aberta para uma data posterior.

Minha hesitação em me juntar a eles foi porque eu precisava obter mais informações sobre os antecedentes desses três indivíduos antes de adentrar seu domínio pessoal, especialmente alguém com uma personalidade tão volátil quanto Doug, com sua defesa aberta do confronto violento e armado com a polícia. Outro representante da Coalizão Antirracismo (ARC) também me convidou para ir à sua residência para discutir a ação contra a Klan. Essa oferta também foi recusada naquele momento.

Em 14 de janeiro, decidi que era hora de conversar com David Duke depois de sua aparição em Colorado Springs, ocorrida quatro dias antes. Queria avaliar sua reação à visita e tudo o que tinha acontecido. Eu fiz a ligação para o escritório nacional da Klan em Louisiana.

— Aqui é Ron Stallworth, de Colorado Springs.

— Oh, olá. Como vai você? — Como sempre, Duke foi simpático e caloroso.

— Conhecer você foi muito estimulante; realmente me fez querer saber mais e me tornar um membro da Klan melhor — falei.

Disse a ele como estava honrado por finalmente tê-lo conhecido pessoalmente. Ele retribuiu o elogio.

Expressei meu pesar por não ter tido a oportunidade de passar um tempo com ele, porque queria absorver mais de seu conhecimento e sabedoria sobre ser um membro da Klan.

Duke lamentou que sua agenda lotada durante a visita ao Colorado o impedisse de conhecer a associação da região de maneira mais pessoal. Por outro lado, ele disse, realizara muito em termos de suas conversas com o líder da Posse, Chuck Howarth, embora não tenha revelado detalhes.

— Gostaria de lhe fazer uma pergunta, senhor Duke. Alguma coisa o surpreendeu quanto à sua visita? — questionei-o. Eu queria ver se ele tinha alguma suspeita sobre mim, ou sobre o "Ron Stallworth" que ele achava que conhecia.

A resposta dele quase me fez chorar de rir. Ele passou a me contar sobre o seu encontro com o "policial crioulo que ameaçou me prender por agredi-lo". Obviamente, eu queria ver se ele tinha alguma suspeita sobre o policial negro que fora designado para protegê-lo.

Duke me contou a história daquele encontro como se eu (Chuck) não estivesse lá. O incidente ainda o incomodava visivelmente, enquanto comentava sobre o problema de dar às minorias posições de autoridade que elas usavam, como Duke dizia, para abusar dos brancos. Respondi dizendo a ele que o "policial crioulo, em circunstâncias diferentes, aprenderia uma lição pra valer pela maneira como ele agiu em relação a você".

Duke concordou com a minha avaliação. Seu último comentário sobre o assunto foi que seu encontro com aquele "crioulo" foi o único aspecto negativo de sua viagem ao Colorado. Ele acrescentou que não considerava os manifestantes contra ele e a Klan um grande problema em comparação com o "policial crioulo", porque estava acostumado e esperava manifestações contrárias aonde quer que ele fosse para reunir as tropas da Klan em comícios.

Em seguida, discutimos os outros eventos da Klan em que ele estaria envolvido. Duke me contou sobre os comícios da Klan planejados para Los Angeles e Kansas City, nas semanas seguintes. Eles esperavam uma forte resistência dos grupos de protesto, mas manteriam uma postura não violenta até serem provocados. E, enfatizou, isso também se aplicava à polícia. Nossa conversa terminou logo em seguida e imediatamente entrei em contato com os departamentos de polícia nessas cidades para informá-los dos planos de Duke relacionados aos comícios.

No final da manhã de 14 de janeiro, fui visitado em meu escritório por dois agentes do Bureau de Investigações Especiais (OSI) da Base Aérea de Peterson. Eles disseram que tinham ouvido falar sobre minha "interessante" investigação envolvendo pessoal militar e estavam interessados em descobrir mais sobre quem poderia ter conexões com a Força Aérea.

Perguntei-lhes como eles haviam tomado conhecimento da investigação, já que eu não havia discutido abertamente o aspecto sigiloso dela e o uso de disfarce com ninguém, exceto aqueles com absoluta necessidade de saber. Eu não tinha sequer discutido a investigação com a polícia militar de Fort Carson ou o seu braço de investigação, o Destacamento de Investigações Criminais (CID).

Enquanto trabalhava no departamento de Narcóticos (1975 a 1977), havia uma unidade de polícia militar que tinha a reputação de ser indigna de confiança. Eles vendiam drogas, praticavam roubos, assaltos à mão armada e agressões sexuais. Eles eram sujos. Nossos oficiais — uniformizados e detetives — abriram numerosos processos contra membros dessa unidade em particular da PM por vários crimes, incluindo tráfico de drogas e roubo. Não confiávamos em ninguém designado para esse grupo específico e estendemos esse sentimento para todo o comando da PM em Fort Carson. Em termos do Destacamento de Investigações Criminais, nós, da Narcóticos, trabalhávamos em estreita colaboração com seu comandante, um diretor-adjunto na época; entretanto, sua equipe de investigadores vinha das fileiras da polícia militar. Esse foi o dilema que enfrentei em termos de comunicação com o Exército. O comandante do Destacamento de Investigações Criminais sabia que a Unidade de Inteligência do DPCS tinha um arquivo aberto sobre a Ku Klux Klan, mas nunca fora informado de que estávamos trabalhando num "esquema" disfarçado. Se ele ou qualquer militar, inclusive da Força Aérea, sabiam desse aspecto da investigação, teriam que ter tomado conhecimento por meio de um dos meus superiores ou de outra pessoa do departamento que soubesse e tivesse a língua solta, e havia muitos assim.

Os agentes do OSI, de fato, disseram para mim que um dos meus superiores discutira a investigação com um dos superiores deles, inclusive o aspecto sigiloso e o disfarce. Eles então me perguntaram detalhes sobre como a operação se desenvolvia.

Depois que contei a história para eles e escutei as risadas habituais pela farsa que estávamos usando com a Klan, os agentes do OSI ficaram sérios. Eles perguntaram se poderiam ver os meus registros da investigação e a lista de nomes dos membros da Klan com conexão militar. Eu peguei a pasta com os arquivos, abri na página em questão e lhes mostrei. Um deles passou o dedo indicador pela lista de nomes e parou. Ele olhou para mim e perguntou se eu poderia dar uma volta com eles. Perguntei para onde iríamos, mas ele se recusou a dizer. Ele perguntou novamente se eu poderia dar uma volta com eles. Eu perguntei uma segunda vez e recebi a mesma resposta.

A essa altura, o meu interesse pelo interesse deles na minha lista de nomes foi despertado. Eu estava curioso em relação à sua terrível necessidade de sigilo e o local a que eles queriam me levar. Olhei para o sargento Trapp em busca de conselhos sobre o que deveria fazer. Ele também estava curioso pelo intenso desejo deles de manter em segredo a localização do destino pretendido. Por fim, o sargento Trapp deixou para mim a decisão de ir ou não.

Depois de alguns minutos de reflexão (afinal, quem confia totalmente no governo federal, especialmente nas Forças Armadas?), finalmente concordei em acompanhar os agentes do OSI para ir "aonde quer que fosse". Eles ficaram satisfeitos com a minha decisão e perguntaram se eu levaria junto os meus registros da investigação. Peguei a pasta e pedi aos dois agentes seus cartões de visita. Dei os cartões ao sargento Trapp e lhe disse que, se meu corpo não aparecesse em um período de tempo razoável, que começasse a investigação por aqueles dois agentes. Entrei no carro deles e nos dirigimos para o acesso sul da Interestate 25.

Perguntei pela terceira vez aonde estávamos indo e recebi apenas silêncio como resposta. A razão do sigilo não ficou clara até nos aproximarmos da placa de saída que dizia NORAD e o carro virar na direção da montanha Cheyenne, localização do Comando de Defesa Aeroespacial norte-americano, agência responsável pela defesa do espaço aéreo dos Estados Unidos e do Canadá. Com essa constatação e a visão das portas blindadas de 25 toneladas que protegem a entrada principal do túnel do complexo escavado na montanha, comecei a sorrir como uma criança numa loja de doces. (Naqueles dias — não posso falar por hoje — os policiais do meu nível não entravam no NORAD. Era e ainda é uma das melhores instalações de segurança dos Estados Unidos.) Enquanto atravessávamos o posto de segurança, minha mente voltou para a primeira vez que eu ouvira o nome NORAD.

Era véspera de Natal de 1963. Eu tinha 10 anos de idade e morava em El Paso, Texas, na East Yandell Street, frequentando a Escola Primária Alta Vista. Era por volta das 9h00 da noite e no programa de rádio que minha mãe escutava, ouvi o locutor mencionar que o NORAD tinha avistado o trenó do Papai Noel voando sobre um determinado local, no céu do lado leste da América do Norte, fazendo suas rondas e entregando presentes para as crianças. O locutor de rádio disse que o NORAD rastrearia o trenó do Papai Noel durante toda a noite e, se você olhasse para o céu noturno, poderia entrever o brilho do luar refletido sobre as laterais e lâminas de seu trenó. Eu até me lembro do locutor dizendo que, se você tivesse uma visão dessas, olhasse com atenção, porque você poderia ter um rápido vislumbre do nariz vermelho de Rudolph brilhando intensamente no céu noturno.

Meu irmão mais novo e eu corremos para fora e começamos a observar o céu, olhando em direções diferentes, na esperança de avistar aquele trenó cintilante e o brilhante nariz vermelho de Rudolph. Eu era escoteiro e sabia como localizar a Ursa Maior, a Ursa Menor e a Estrela Polar, mas achar o trenó do Papai Noel guiado por Rudolph com seu "nariz tão brilhante" era outra história. Nós desistimos, voltamos para casa e cerca de uma hora depois fomos para a cama. Quando acordei na manhã seguinte, descobri que o trenó cintilante do qual o NORAD havia relatado o avistamento na noite anterior encontrara, de fato, o caminho para o número 3308 da rua E. Yandell.

Os agentes do OSI dirigiram para dentro do túnel. O dia de repente se transformou em noite. Havia uma estrada de duas pistas com uma faixa amarela no centro, e a escuridão dentro da montanha era iluminada por luzes como se estivéssemos dirigindo à noite. Eu não sabia quão profundamente a estrada adentrava a montanha, mas as luzes pareciam infinitas, ou poderia ter sido uma ilusão de óptica criada pela minha mente me pregando uma peça por estar impressionada pela formidável instalação militar.

À direita do ponto de entrada, havia quinze prédios de três andares, construídos sobre molas gigantescas, projetadas para permitir que os prédios se deslocassem até uma polegada em qualquer direção no caso de explosão ou terremoto. (O NORAD foi construído na época da Guerra Fria contra a antiga União Soviética e projetado para resistir a um ataque nuclear.) Em essência, o NORAD é uma cidade dentro de uma montanha que emprega seiscentas pessoas, com uma pequena loja, refeitório, academia de ginástica, um centro médico e muito mais.

Tudo isso me foi explicado por um subcomandante da unidade, um coronel negro, que me foi apresentado por um dos agentes do OSI depois que entramos num dos muitos prédios. O coronel afirmou que tinha ouvido falar sobre minha investigação "ímpar" e queria saber mais sobre ela.

Eu contei a ele a história e mostrei-lhe o meu cartão de associado da KKK. Ele era nativo do Sul e deu uma boa risada disso e da minha história sobre o confronto com David Duke a respeito da Polaroid. O coronel ficou sério e pediu para ver o meu registro da investigação e a lista de nomes de militares membros da Klan.

Abri a pasta na lista de nomes e, como os agentes do OSI fizeram no meu escritório, o coronel correu o dedo indicador pela lista. De repente, ele parou, pegou o telefone e discou um número. Ele virou as costas para mim e os agentes, enquanto falava em voz baixa com alguém do outro lado da linha, e desligou. O coronel então voltou sua atenção para mim, ficou de conversa fiada por alguns momentos, parabenizou-me pelo sucesso do meu "esquema" na Klan e serviço como policial, apertou a minha mão, e então saiu da sala depois de falar em particular com os dois agentes do OSI.

— Ok, o que está acontecendo? — perguntei.

Os agentes do OSI afirmaram que dois dos nomes da minha lista, que nunca foram identificados para mim, eram de funcionários do NORAD com acesso a informações altamente secretas. O trabalho deles era administrar o console principal que monitorava o mecanismo dos sistemas de defesa aérea da América do Norte. Os agentes explicaram que o telefonema feito pelo coronel fora para o Pentágono, de onde ele obteve permissão para transferir os dois membros da Klan dos seus postos de alta confidencialidade.

Os agentes revelaram que o Pentágono via a atividade deles como tendo implicações potenciais para a segurança nacional e que indivíduos como esses dois não seriam tolerados. De acordo com os agentes do OSI, os dois membros da Klan seriam transferidos até o final do dia para o "Polo Norte", a instalação militar mais ao norte do norte dos Estados Unidos. Os agentes disseram que o coronel estava convencido de que a atitude comportamental e as atividades exibidas por esses dois membros da Klan e qualquer outro funcionário pertencente ao quadro do NORAD com gostos semelhantes era inaceitável.

O coronel me agradeceu pelo meu tempo e saiu da sala. Os dois agentes que me acompanhavam fizeram um sinal com a cabeça e então saímos do prédio dentro da montanha e voltamos para o nosso carro. Com isso, minha visita ao local que rastreara o trenó do Papai Noel em sua jornada natalina pelo território norte-americano durante minha infância chegou ao fim.

11

POR ÁGUA ABAIXO

Chuck e o sargento Trapp não conseguiam acreditar na minha história do NORAD, e isso só serviu para encher ainda mais a minha bola. Minha investigação chegara aos altos escalões do governo dos Estados Unidos e derrubara os supremacistas brancos que detinham algumas das mais altas habilitações de segurança no Exército dos Estados Unidos. Nada mal para um jovem policial.

Nos dias que se seguiram à minha visita ao interior da montanha, tive três diferentes conversas telefônicas com Ken sobre queima de cruzes.

Durante esses três telefonemas, Ken me convidou para acompanhar a ele e outros membros da Klan a locais específicos para atear fogo a cruzes de cinco metros e meio de altura usando o método dos fósforos e cigarro que ele tirara de um filme de James Bond. Ken me revelou a data, o horário e outros detalhes, como o número de membros que participariam da cerimônia da queima das cruzes. Quando tomava conhecimento de tais informações, eu notificava o chefe de turno da Divisão de Patrulha Uniformizada do DPCS e requisitava que carros de patrulha extras fossem designados para as específicas áreas em questão a fim de capturar os membros da Klan no ato ou constituir um fator intimidador suficiente para impedi-los de prosseguir com seu plano, para começo de conversa.

Numa época anterior aos telefones celulares e a dádiva da comunicação instantânea via mensagens de texto e e-mail, eu tinha que esperar pelo menos 24 horas para saber se as ações de resposta do meu departamento haviam funcionado.

Quando por fim falei com Ken, pedi a ele que dispensasse a minha participação por causa de outros compromissos obrigatórios, mas o verdadeiro motivo era a questão legal que o flagrante preparado envolvia. Ele me contou que haviam sido obrigados a cancelar a cerimônia porque vários carros da polícia estavam próximos do local da queima das cruzes; num dos pontos, havia três carros de patrulha numa área que normalmente teria apenas um ou, às vezes, dois, quando coincidiam de estar ao mesmo tempo por ali a cada uma hora, cruzando as ruas próximas ou no próprio local. Essa demonstração de forte presença policial nessas duas ocasiões levou a Klan a cancelar seus planos de queimar cruzes e, por fim, a descartar de vez uma terceira oportunidade. Foi um momento de orgulho para mim como oficial de polícia!

Muitas vezes me perguntaram: "O que de fato você realizou durante o curso dessa investigação sem prender nenhum membro da Klan ou apreender nenhum contrabando ilegal?" ou "Do que você mais se orgulha no que diz respeito a esse esforço investigativo?". Minha resposta é sempre mais ou menos assim: "Como resultado de nossos esforços combinados, *nenhum* pai ou mãe de uma criança negra ou de outra minoria, ou de qualquer criança, teve que explicar por que uma cruz de cinco metros e meio de altura podia ser vista queimando neste ou naquele local — em especial, aqueles indivíduos do Sul que, talvez quando eram crianças, haviam testemunhado o ato terrorista de uma queima de cruz da Klan. Nenhuma criança dentro dos limites da cidade de Colorado Springs jamais teve que vivenciar, ao vivo e a cores, o medo causado por esse ato de terror. Nós evitamos que tal incidente fosse gravado em sua consciência da forma como muitos de seus pais podem ter ficado marcados quando crianças. Por meio de minhas conversas telefônicas de fachada com Ken sobre quando e onde tais atos de terror aconteceriam, nós, no departamento de polícia, pudemos pôr um ponto final neles. O sucesso em uma investigação policial nem sempre é medido pelo número de prisões efetuadas ou pela quantidade de contrabando ilegal apreendido". Muitas vezes, o sucesso encontra-se não no que acontece, mas no que você evita que aconteça.

O policial Ed, em seu empenho egoísta de criar uma reputação para si e avançar na carreira, achou que estava me trazendo uma valiosa contribuição para a investigação com as informações que Ken revelara a ele. A tentativa do policial Ed de se juntar à Klan não passava de um esforço de sua parte para ficar bem na fita, com o objetivo de impressionar a mim e ao sargento Trapp e garantir a si mesmo uma transferência da Costumes para a Unidade de Inteligência. Suas ações não visavam o bem da minha investigação e eu não estava contente com isso, para dizer o mínimo.

Tendo a visita de Duke ficado para trás, e diante da relutância de Ken em seguir em frente com quaisquer planos de queimas de cruzes, comecei a puxar o freio no aspecto disfarçado da investigação da Klan. Chuck e Jim estavam mais fortemente empenhados em suas funções na Narcóticos, e suas prioridades de trabalho tinham que prevalecer sobre as minhas. O tenente deles, Arthur, ainda guardava uma forte antipatia por mim, e eu sentia o mesmo por ele, e em termos de coleta de dados não estávamos revelando muitas informações novas sobre o grupo. Eu ainda tentava identificar os membros locais e monitorar suas atividades por meio de telefonemas que dava e recebia de Ken, mas as reuniões presenciais usando Chuck e Jim haviam cessado a essa altura.

Além das minhas constantes ligações para Ken, eu também continuava mantendo contato telefônico com Fred Wilkens e David Duke, embora com muito menos frequência e sem discutir nada de muita relevância. Aquelas ligações, mais do que qualquer outra coisa, tinham o objetivo de manter uma linha de comunicação aberta entre mim e eles. No entanto, um incidente notável aconteceu e me proporcionou outro encontro com uma figura histórica do movimento dos direitos civis da minha juventude.

Em 29 de março de 1979, o doutor Ralph David Abernathy, homem que indiscutivelmente era o braço direito do doutor Martin Luther King Jr. e o sucedeu no comando da Conferência da Liderança Cristã do Sul, sem dúvida o principal grupo por trás do movimento dos direitos civis, visitou Colorado Springs. Em praticamente todos os confrontos físicos enfrentados por Martin Luther King, o doutor Abernathy esteve ao lado dele, sofrendo a mesma dor e humilhação. A visita do doutor, patrocinada por uma igreja batista negra — que minha falecida tia ajudara a fundar em Fountain, Colorado, uma pequena cidade localizada a dezesseis quilômetros ao sul de Colorado Springs e a leste de Fort Carson —, foi uma oportunidade de relações públicas para a igreja. Um rapaz negro de 15 anos de idade, David Scott Lee, fora recentemente condenado em Colorado Springs por assassinar um jovem cozinheiro branco num restaurante que funcionava 24 horas no centro da cidade. O cozinheiro, casado e com uma filha pequena, estava a caminho de casa depois de trabalhar no turno da noite quando Lee parou o carro ao lado dele e o matou com um tiro. Quando questionado sobre o motivo de ter cometido o crime, o adolescente disse que só queria saber qual era a sensação de matar alguém.

O promotor acusou Lee de assassinato como se ele fosse maior de idade e isso lhe rendeu a ira do reverendo negro e da congregação da igreja batista. Um movimento de protesto teve início em nome do jovem assassino, acusando o promotor público de ser racista por processar Lee como adultos e não como menor de idade, situaação em que sua sentença teria sido mais leve. Eles ignoraram por completo a natureza fria de seu crime ou o efeito posterior de suas ações sobre a jovem viúva e sua filha, agora sem pai. Na opinião deles, a verdadeira vítima era o assassino de 15 anos que queria saber qual era a sensação de matar alguém.

A igreja batista convenceu o doutor Abernathy a ir para Colorado Springs, agregar seu "poder de celebridade" — seu nome e *status* — às suas ações de protesto contra o promotor público. Todo o argumento deles baseava-se na cor da pele das duas principais partes envolvidas e que o assassino não havia sido tratado de forma justa pelo sistema de justiça criminal ao ser indiciado como adulto — porque ele era negro.

Naquela mesma data, cerca de 25 membros da Klan — alguns deles vestindo túnicas e outros usando camisetas com os dizeres "KKK, PODER BRANCO" — cercaram a igreja batista enquanto o doutor Abernathy pregava um sermão em apoio às ações de protesto. Alguns dos membros da Klan presentes incluíam Fred Wilkens, Joseph Stewart e Tim.

Eu estava na igreja porque um pouco mais cedo tinha sido contatado pelo meu chefe, que me comunicou as ameaças de morte recebidas pelo departamento contra o doutor Abernathy, supostamente feitas por membros da Klan. O chefe me disse que eu deveria ficar com o doutor Abernathy como segurança pessoal (guarda-costas) até que ele fosse embora da cidade, no fim da tarde. (Nota: eu passara de guarda-costas do Grande Mago da Ku Klux Klan em janeiro para, três meses depois, guarda-costas do líder do movimento dos direitos civis contra o qual a Klan se opunha com tanta veemência.)

Após a cerimônia religiosa, apresentei-me ao doutor Abernathy (o que foi uma grande honra) e expliquei a razão de estar lá. Ele foi muito educado, muito amável, um genuíno cavalheiro do Sul (é interessante registrar que ele foi um dos professores da minha falecida sogra na Universidade Estadual do Alabama, embora eu não soubesse disso na época). Ele me agradeceu pelo meu tempo e preocupação com seu bem-estar e me pareceu muito grato.

Os membros da congregação da igreja, no entanto, eram exatamente o oposto. Enquanto conversava com o doutor Abernathy, ouvi o reverendo sussurrando com desdém para alguns de seus congregados que eu devia achar que estava no *Starsky & Hutch*, referindo-se ao popular seriado policial de TV da época e comentando sobretudo sobre as minhas roupas (jeans, camisa casual e tênis, semelhantes aos dos personagens de TV, mas que eram meus trajes típicos do dia a dia). Tal era o clima social da época que aqueles membros da igreja não confiavam em nenhum oficial de polícia. Não estavam gostando da minha presença entre eles, falando com o doutor Abernathy, e era evidente que não queriam que nenhum policial se intrometesse na visita do doutor Abernathy à igreja e na causa que defendiam.

A congregação da igreja estava planejando uma manifestação mais tarde naquele dia, no tribunal de Colorado Springs, no centro, onde ficava o escritório do procurador. Nesse ínterim, o doutor Abernathy foi levado ao hotel para descansar até o ato. Fiquei com ele no quarto e pelas duas ou três horas seguintes tive uma conversa com uma parte da história viva do movimento dos direitos civis. Estava completamente atônito por estar cara a cara com aquele homem que eu tinha visto tantas vezes nos noticiários, nos jornais e na televisão. E admirado por ter sido designado para garantir que aquele ícone dos direitos civis ficasse em segurança. Foi uma honra.

Embora estivesse cansado (ele tirou os sapatos e se esticou no sofá de dois lugares), respondeu de forma gentil às minhas perguntas sobre suas experiências no movimento dos direitos civis, e suas recordações de Martin Luther King, e de ser vítima das táticas de terrorismo da KKK. Ele era um negro nascido no Sul naqueles tempos e crescera sob a ameaça sempre presente de morte ou de algum tipo de retaliação por parte de homens brancos centrados na questão racial, alguns vestidos com túnicas brancas e capuz. Ele havia sido vítima de um atentado a bomba e estava presente quando seu melhor amigo e aliado mais próximo do movimento dos direitos civis — Martin Luther King — foi baleado e morto na varanda do hotel em Memphis, no Tennessee. Aquele era um homem que estava familiarizado com a morte e que não se acovardou perante as ameaças de terroristas encapuzados vestidos com túnicas brancas.

Dizer que fiquei deslumbrado por poder compartilhar esse tempo com ele e ouvi-lo falar de suas experiências no movimento — que, para mim, eram apenas imagens no noticiário noturno numa tela de televisão — seria dizer muito pouco. Sem querer menosprezar o doutor Abernathy, que era um homem extremamente bem realizado por seu próprio mérito, enquanto estava lá sentado absorvendo a história viva da minha juventude de uma das pessoas que a moldaram, eu me senti honrado, mas não pude deixar de pensar que, ao compartilhar aquele momento com ele, estava vivenciando, de forma indireta, um pouco do próprio Martin Luther King. No fundo, estava encarnando o doutor King no doutor Abernathy, que praticamente compartilhou todas as experiências da vida adulta com ele desde o boicote aos ônibus de 1955-56 em

Montgomery, no Alabama, evento este que deu origem ao movimento dos direitos civis.

Durante uma pausa em suas lembranças, perguntei ao doutor Abernathy se ele conhecia a história por trás das ações de protesto exercidas por seus patrocinadores da igreja contra o promotor público. Ele disse que foi informado de que o promotor havia acusado falsamente um garoto negro de 15 anos de assassinar um homem branco e procurou tratá-lo com mais severidade do que um jovem branco seria, caso tivesse cometido um crime semelhante.

Então eu decidi quebrar o protocolo profissional fazendo algo que alguém que está servindo numa operação de proteção a uma personalidade importante não deveria fazer: envolvi-me pessoalmente no mérito da minha tarefa profissional. O doutor Abernathy havia sido enganado por seus patrocinadores da igreja, e eu me senti no dever de contar a verdade àquele homem honesto, bom e decente, um baluarte histórico para a comunidade negra.

Prossegui contando-lhe sobre os detalhes particulares do caso que o reverendo e os membros da igreja tinham convenientemente escolhido deixar de fora da narrativa. Ele demonstrou claro interesse à menção do temperamento familiar do branco vítima de assassinato, um jovem inocente que não conhecia seu assassino de 15 anos. Ele mostrou surpresa e raiva ao saber a motivação por trás do assassinato — o adolescente queria apenas saber qual era a sensação de matar alguém e escolheu essa vítima em particular ao acaso. Contei ao doutor Abernathy que a confissão dele havia sido feita de espontânea vontade e ele nunca a retirou. Também enfatizei que a vítima poderia ter sido facilmente uma pessoa negra e, fosse esse o caso, será que a igreja estaria apresentando essa mesma queixa contra o promotor público a respeito da cor da pele da vítima?

Por fim, disse ao doutor Abernathy que a pobre vítima era um homem trabalhador tentando apenas sustentar sua jovem família num emprego desgastante e mal remunerado, um homem que se tornou o alvo aleatório do capricho doentio de um jovem em querer saciar sua sede de sangue. Sua etnia não fora um fator motivador em nenhum aspecto desse caso além do encontro aleatório das duas principais partes envolvidas.

Quando o doutor Abernathy ouviu essa revelação, seu rosto sofreu uma nítida mudança de expressão. Eu podia enxergar confusão e um toque de raiva em seus olhos. Acredito que naquele momento ele percebeu que havia sido enganado por seus patrocinadores da igreja, que tudo tinha sido um ardil para vincular seu nome à vingança pessoal deles contra o promotor público. Acho que ele estava tentando descobrir como, tendo chegado até ali e com toda a publicidade que havia sido gerada pela sua presença junto ao reverendo e sua congregação sobre essa questão, ele poderia voltar atrás agora. Sua linguagem corporal mudou: de esticado e relaxado no pequeno sofá ele adotara uma postura sentada, com a coluna ereta, atento. Seu único comentário para mim foi: "Isso muda um pouco as coisas agora, não é mesmo?". Eu respondi: "Acho que sim, senhor; pelo menos, mudaria para mim".

Um pouco depois, o reverendo retornou ao quarto para buscar o doutor Abernathy e levá-lo ao tribunal para a manifestação. Sentei-me e observei enquanto os dois ficavam frente a frente, envolvidos no que parecia ser uma discussão bastante acalorada. Estavam falando em voz baixa, então, não pude ouvir o que diziam, mas a linguagem corporal deles era muito reveladora. As mãos do doutor Abernathy cortavam o ar enquanto falava e notei que ele se virou várias vezes olhando na minha direção, ao mesmo tempo que um gesto de mão era direcionado a mim. O reverendo, por outro lado, estava visivelmente na defensiva, tentando acalmá-lo enquanto vez ou outra olhava na minha direção, com a graça do Senhor claramente ausente de sua pessoa.

O que eu disse ao doutor Abernathy importava? Teria mudado a opinião dele sobre sua missão durante a visita a Colorado Springs? Nunca saberei inteiramente as respostas a essas perguntas, porque o assunto nunca mais foi mencionado para mim e jamais foi discutido pelo reverendo pelo restante da visita do doutor Abernathy ou depois que ele partiu. O reverendo me conhecia por meio de minha tia, que havia sido uma das fundadoras de sua igreja. Minha tia não falou comigo durante um tempo, depois que eu lhe contei que sua igreja mentiu para o doutor Abernathy e todas as ações de protesto não passavam de uma farsa usando o nome dele para fins publicitários.

Depois da exaltada discussão, o doutor Abernathy se recompôs, enquanto o reverendo me lançava um olhar furioso, e nós três saímos do quarto de hotel e seguimos para o pátio do tribunal, onde o ato aconteceria. Para nos recepcionar, havia um grupo de cerca de 25 membros da Klan, alguns trajando suas túnicas brancas e outros vestindo suas camisetas com os dizeres "KKK, Poder Branco", indivíduos estes que já se encontravam reunidos e marchavam num círculo, carregando cartazes com slogans denunciando os manifestantes da igreja e expressando apoio à decisão de processar como adulto o assassino de 15 anos de idade.

O doutor Abernathy e o reverendo da igreja juntaram-se aos membros da congregação, inclusive minha tia, e deram início à sua versão de um contraprotesto. Não carregavam cartazes com slogans, mas, em vez disso, gritavam frases denunciando as ações do promotor público, enquanto mantinham a tradição negra nas ações de protesto civil de cantar hinos de resistência negros. Todos pareciam deleitar-se com o momento quando o doutor Abernathy os conduziu, cantando a música tema do movimento dos direitos civis, "We Shall Overcome". Os anos pareciam diminuir de seus rostos e ombros enquanto todos eles, com a graça de um dos principais líderes do movimento dos direitos civis entre eles, formavam um círculo (como muitos deles tinham tantas vezes visto em suas telas de TV em tempos idos com esse homem ao leme junto com seu bom amigo, Martin Luther King) e uniam as mãos e, balançando de um lado para o outro, entoavam:

We shall overcome, we shall overcome
We shall overcome someday, someday
Deep in my heart, I do believe
We shall overcome someday...

[Nós triunfaremos, nós triunfaremos
Nós triunfaremos um dia, um dia
Do fundo do meu coração, eu acredito, sim
Que um dia nós triunfaremos...]

Mantive-me afastado e assisti ao que considerei ser um show de "palhaços". A parte mais patética daquele espetáculo foi ver minha tia, o reverendo e outros membros da congregação aplicando o seu "golpe" numa venerável figura da nossa história cultural coletiva como povo negro. Ele merecia coisa melhor. Eles pareciam se deleitar por participar de uma manifestação de protesto com um homem da envergadura do doutor Abernathy, alguém que havia derramado sangue pela causa dos direitos civis para todos os americanos. Eles queriam viver uma parte dessa luta por meio de sua presença e participação em sua falsa crise de injustiça racial.

David Scott Lee, o assassino de 15 anos condenado como adulto, foi sentenciado à prisão perpétua na penitenciária estadual do Colorado.

No dia seguinte, 30 de março, recebi uma ligação de Ken na linha telefônica de fachada. Ele me disse de novo, e dessa vez de modo muito categórico, que eu precisava assumir a liderança da divisão local da Klan por causa da iminente partida dele e de Joseph Stewart de Colorado Springs, devido à dispensa de ambos do Exército. Ele disse que a divisão precisava de alguém com pulso firme, um sujeito sangue-frio e um residente local para comandar o grupo, não de um militar que entrasse e saísse conforme o dever assim o exigisse. Isso não contribuía para uma situação estável e o que a divisão necessitava era de estabilidade. Era isso o que a função de organizador local, caso eu assumisse, traria: estabilidade para a liderança da divisão da Klan de Colorado Springs. Ele alegou que os membros haviam decidido previamente que eu era o mais adequado para o cargo, e insistiu que eu me encontrasse com ele para dar andamento à transição da liderança.

Tentei mais uma vez dissuadir Ken da ideia de eu assumir a função de organizador local da Klan, usando diferentes táticas.

Tentei bancar o humilde, afirmando que não era digno de tal honra, e citei o meu trabalho como sendo um impedimento, mas a resposta dele foi a de que isso poderia ser resolvido. Então, sugeri outras pessoas mais adequadas para a posição, que ele rejeitou completamente. Cada uma das razões, cada uma das desculpas que dei a Ken de por que eu não poderia me tornar líder da Ku Klux Klan de Colorado Springs foram rejeitadas. Ele encerrou a nossa conversa dizendo que me ligaria dentro de alguns dias para marcar uma reunião a fim de concluir a transição da liderança.

Notifiquei de pronto o sargento Trapp sobre esse desdobramento e ele sugeriu que discutíssemos isso com o chefe de polícia.

Quando nos reunimos com o chefe, apresentei um resumo de toda a investigação: (1) as valiosas informações que haviam sido coletadas sobre os nossos dois grupos de ódio racial mais radicais (a Klan e a Posse Comitatus); (2) a descoberta da infiltração deles em nossas instalações militares (no Exército dos EUA e na Força

Aérea/NORAD); (3) a prevenção de que grupos militantes negros (o Partido dos Panteras Negras e os Muçulmanos Negros) viessem para Colorado Springs e fundissem seu veneno verbal com o da Klan, afetando de forma negativa nossa dinâmica social comunitária; (4) a prevenção, pelo menos em duas ocasiões, dos atos terroristas de queima de cruzes pela Klan; e (5) o impacto nacional que estávamos tendo, do ponto de vista da inteligência, que vinha se mostrando benéfico para agências policiais e entidades privadas (por exemplo, a ADL) em todo o país.

Em seguida, relatei ao chefe o teor da minha conversa mais cedo com Ken e sua inflexível insistência para que eu assumisse o posto de liderança da divisão local da Klan. Pressionei o chefe para que aceitasse a oferta de Ken porque: (1) nós, o departamento, poderíamos contornar quaisquer potenciais armadilhas que pudessem surgir trabalhando em estreita colaboração com o escritório da procuradoria; e (2) a oportunidade que nos estava sendo apresentada de reunir informações sobre a Klan e, por extensão, sobre outros no movimento de grupos de ódio do Colorado — a partir de uma posição de liderança — era uma chance única na vida, sem precedentes, que deveríamos aproveitar enquanto tínhamos uma brecha.

O sargento Trapp ouviu os meus argumentos, foi a favor de prosseguir com a investigação e apoiou por completo o meu posicionamento.

O chefe de polícia, no entanto, não se dobrava à lógica do meu raciocínio e, na verdade, sequer queria discutir o assunto.

A posição dele era a de que eu encerrasse imediatamente a investigação. Ordenou que eu cessasse quaisquer outros contatos com Ken e não tivesse mais encontros cara a cara com nenhum membro da Klan. O sargento Trapp recebeu ordens para que a linha telefônica de fachada fosse alterada, de modo que nenhuma outra ligação de Ken pudesse ser recebida por mim, e eu não deveria responder a nenhuma correspondência que fosse enviada pela Klan para o endereço da caixa postal de fachada. O chefe de polícia deixou claro que queria que "Ron Stallworth — membro da Klan" desaparecesse por completo.

Muitas vezes, perguntaram-me por que ele não só quis que a investigação fosse interrompida, como também fosse eliminada dos registros. Não sei responder qual o motivo exato, porque não sei o que estava em seu coração e mente, mas ele era o encarregado das relações públicas.

Acho que ele temia que, se a notícia de que policiais do DPCS eram membros oficiais da Klan se espalhasse, teria um desastre de relações públicas em mãos.

Aquela era uma investigação de inteligência, não uma investigação criminal que não obteve resultados em indiciamentos.

Questionei o chefe de polícia sobre a razão de ele querer adotar essa abordagem. Ele explicou que não queria nenhum indício de que um "Ron Stallworth — membro da Klan" algum dia existiu, e isso também se aplicava ao detetive Jim Rose. Em vista disso, o chefe de polícia me disse para destruir todas as evidências que mostravam que o Departamento de Polícia de Colorado Springs estava conduzindo uma investigação secreta sobre a Ku Klux Klan. Ele não queria que a população soubesse que o DPCS tinha policiais disfarçados como membros da Klan.

Discuti com veemência contra a lógica do chefe de polícia, o sargento Trapp me cutucando várias vezes no joelho, fora da linha de visão do chefe, tentando me acalmar. Expliquei que tudo o que eu — nós — havíamos realizado estava dentro dos fundamentos morais, éticos e legais da lei, bem como dentro das diretrizes políticas do departamento. Também lembrei ao chefe de polícia que tudo tinha sido feito com o conhecimento e a autorização do sargento Trapp. Argumentei que tomar as medidas que o chefe de polícia estava defendendo implicava que nós, da Unidade de Inteligência, havíamos feito algo errado, quando, na verdade, não havíamos.

Como eu disse antes, o chefe de polícia, que havia sido o tenente encarregado do setor de relações públicas do departamento de polícia antes de sua ascensão na hierarquia, estava muito consciente de sua imagem pública e a do departamento. Ele achava que seria prejudicial para essa imagem se os cidadãos de Colorado Springs tomassem conhecimento do envolvimento de seu departamento com a Ku Klux Klan, independentemente de ter sido ou não oficialmente autorizado. Ele foi firme em querer que *todas* as evidências do nosso envolvimento com a Klan fossem destruídas, incluindo *todos* os relatórios produzidos pelos policiais envolvidos.

Acatei com relutância a diretriz do chefe de polícia e retornei furioso para o meu escritório com o sargento Trapp, resmungando todos os palavrões do meu repertório e inventando alguns novos ao longo do caminho. A declaração mais definitiva do sargento Trapp sobre a diretriz do chefe de polícia foi:

— Filho da puta, isso não está certo.

Quase um ano de um trabalho muito inovador e valioso estava prestes a ser jogado pelo ralo por causa do receio do chefe de polícia diante de uma "possível" reação pública, caso a população descobrisse o que estávamos fazendo. Do meu ponto de vista, com base na resposta das pessoas ao protestarem contra a presença da Klan, sentia que, se elas descobrissem o que o departamento de polícia estava fazendo nos bastidores, como tínhamos feito de bobos os membros da Klan durante todos esses meses, elas teriam adorado, aplaudido as nossas ações e isso teria sido uma grande jogada de relações públicas para o departamento.

Na presença do sargento Trapp, comecei a rasgar aos poucos um relatório aqui, outro acolá (nenhum muito significativo). Enquanto estava às voltas com essa tarefa, a linha telefônica de fachada tocou várias vezes. Como tinha recebido a ordem de não estabelecer mais nenhum contato com Ken, não me dei ao trabalho de atender ao telefone (isso aconteceu numa época anterior aos identificadores de chamadas, por isso eu não fazia ideia de quem poderia estar ligando). Quando o sargento Trapp se ausentou do escritório por um longo período, peguei a pasta de registros e alguns outros artigos acumulados durante o curso da investigação, coloquei-os debaixo do braço, saí do escritório em direção ao carro e fui para casa. Mantive-os comigo durante minhas viagens nos últimos 35 anos e eles foram a base sobre a qual este livro foi escrito.

Como eu explico minhas ações? O delegado ordenara que eu "destruísse" *todas* as evidências da investigação que mostravam sinais de envolvimento do DPCS. Ele, no entanto, não me disse "como" destruir essas evidências. Ao levá-las para casa, todos os sinais de envolvimento do DPCS foram removidos dos arquivos do DPCS, como queria o delegado. Alguma vez já menti sobre o que fiz? Não, porque ninguém nunca perguntou se eu havia destruído as provas como o delegado tinha ordenado, então, nunca fui colocado na posição de ter que decidir como responder a essa pergunta.

Se as minhas ações chegassem ao conhecimento do sargento Trapp ou de qualquer um de meus colegas de trabalho, eles teriam o dever de me reportar aos Assuntos Internos para investigação devido a uma violação de política — remoção de arquivos oficiais da polícia sem a devida autorização e desobediência a uma ordem direta do delegado de polícia. Poderia ter resultado numa suspensão ou expulsão como consequência de minha indiscrição deliberada. Então, por que eu coloquei minha carreira em risco?

Reconheci que essa investigação era única. Entendi que esse tipo de investigação com esse elenco particular de personagens, pelo que sei, nunca havia sido realizado antes, e ninguém em sã consciência acreditaria em mim se eu contasse a história. O arquivo investigativo com seus suvenires da Klan, dos quais algumas imagens foram incluídas no livro, era a única evidência física do que representou o meu empreendimento único e inovador, e eu queria um registro dele para além de reminiscências orais, que são corroídas com o tempo e, no caso dos meus colegas policiais, pelo álcool.

A fase ativa da minha investigação da Ku Klux Klan terminara oficialmente. Eu estava orgulhoso do meu departamento e de mim como um americano negro, e do fato de que durante toda essa investigação nenhuma cruz foi queimada nos limites da cidade nem nas áreas não incorporadas de Colorado Springs. O "Ron Stallworth — membro da Klan" desapareceu de cena e nunca mais nenhum membro da divisão de Colorado Springs ouviu falar dele. Minhas ligações para David Duke também cessaram. Minha investigação da Ku Klux Klan estava concluída.

E quanto ao telefone que tocou na noite em que eu estava reunindo os arquivos? Naquela mesma noite, o Bell's Nightingale, o clube de propriedade de negros que recebera Stokely Carmichael durante a minha primeira missão secreta em 1975, estava promovendo uma arrecadação de fundos em nome de David Scott Lee, o assassino negro de 15 anos que matou um inocente homem branco. Mais tarde, naquela noite, uma cruz foi queimada do lado de fora da boate. Será que foram ligações de Ken para me contar sobre os planos de queimar uma cruz naquela noite? Jamais saberei.

Nenhuma responsabilidade foi atribuída à queima daquela cruz.

EPÍLOGO

Após o término oficial da investigação, em abril de 1979, continuei recebendo relatórios da inteligência sobre as atividades da KKK. Algumas delas eram legítimas e eu as acompanhei dentro das minhas possibilidades, sempre preocupado com a possibilidade de o meu nome ser reconhecido como o de um "membro da Klan" e ciente de que o meu chefe de polícia havia ordenado que eu "desaparecesse". Outras informações que chegavam a mim vinham de tipos semelhantes ao policial Ed, que procuravam ser reconhecidos como colaboradores indiretos da investigação e, portanto, dignos de serem considerados para uma transferência para a Unidade de Inteligência. Nesse sentido, o mais notório continuava sendo o próprio policial Ed. Algumas das informações que ele me passou eram tão obviamente irrelevantes que eu me recusei a incluí-las no novo arquivo que criei após minha investigação original. Seus esforços para se vincular à investigação e agradar o sargento Trapp nunca foram bem-sucedidos durante o restante do meu tempo de serviço no DPCS. Nunca mais recebi nenhuma informação relativa a queimas de cruzes pela Klan nem ouvi falar de qualquer um dos membros do PLP ou representantes dos grupos de protesto contrários à Klan em Colorado Springs com suas siglas de sopa de letrinhas.

Meu papel como investigador da Narcóticos sob disfarce continuou mesmo depois que a investigação da KKK foi concluída. O tenente Arthur foi promovido a capitão, o que criou outro obstáculo que eu teria que enfrentar mais dia ou menos dia. Decidi que meu destino na força policial seria mais bem cumprido em outra agência, onde eu não teria Arthur como empecilho para as minhas aspirações de carreira, então eu saí.

Passei um ano em missões especiais para a Força-Tarefa Contra o Crime Organizado da Procuradoria-Geral do Colorado, mas isso não durou muito tempo. Comecei a procurar pastos mais novos e mais verdes. Depois de um período de dois anos (1980-82) em Phoenix, trabalhando como investigador no Centro de Controle de Drogas do Arizona/Agência de Sistemas de Inteligência Criminal do Arizona, consegui um emprego de investigador da Narcóticos disfarçado na Divisão de Investigação Criminal da Procuradoria-Geral do Wyoming. Depois de quatro anos (1982-86), sendo o único policial negro no mar de brancos da população de Wyoming, fui recrutado e acabei sendo contratado como investigador da Narcóticos pela Agência de Fiscalização de Narcóticos e Bebidas do Departamento de Segurança Pública de Utah. Foi em Utah que alcancei um marco significativo na minha carreira na aplicação da lei.

Havia um influxo de crack proveniente de Los Angeles sendo vendido por membros das gangues Crips e Bloods em Salt Lake City. Investiguei e produzi um relatório traçando uma resposta estratégica à sua presença. Esse relatório levou à criação do Projeto para Gangues da Área de Salt Lake (Metro Gang Unit), a primeira unidade multijurisdicional de repressão e desbaratamento de gangues no estado. Meu relatório gerou a eventual criação de várias ações para combater gangues semelhantes em Utah. O Projeto para Gangues da Área de Salt Lake está hoje em seu 27º ano de operação.

No início da década de 1990, também investiguei e escrevi vários relatórios, livros e artigos de revistas sobre a correlação entre o chamado *gangsta rap* e a cultura das gangues de rua. Tornei-me um palestrante sobre o assunto reconhecido em nível nacional — testemunhando perante o Congresso em três ocasiões — e fui aclamado por meus colegas como a "maior autoridade policial no assunto".

Levando em consideração que busquei uma carreira na força policial com a finalidade de me tornar professor de Educação Física do Ensino Médio, alcancei um nível de sucesso que jamais poderia imaginar quando fui entrevistado para o emprego de cadete da polícia aos 19 anos, em 1972. Ao longo dos anos, recebi uma condecoração oficial do DPCS e da Força-Tarefa Contra o Crime Organizado em reconhecimento por meu trabalho sob disfarce. A Agência de Combate às Drogas e o Departamento de Álcool, Tabaco, Armas de Fogo e Explosivos conferiram-me condecorações pelo meu trabalho em ensinar seus agentes especiais sobre as complexidades da cultura de gangues de rua. O National Gang Crime Research Center me agraciou com o seu Frederic Milton Thrasher Outstanding National Leadership Lifetime Achievement Award, em reconhecimento ao meu trabalho na identificação da correlação entre o *gangsta rap* e a cultura das gangues de rua. Além disso, o Departamento de Segurança Pública de Utah me homenageou duas vezes com o seu Prêmio por Serviços Prestados. Hoje eu moro com minha esposa em El Paso, no Texas.

Chuck, meu alter ego branco, prosseguiu numa notável carreira no DPCS, aposentando-se, por fim, como sargento. Jimmy Rose, por outro lado, seguiu um caminho diferente na aplicação da lei. Cerca de três anos após a minha saída do departamento, Jimmy também tomou a decisão de sair e expandir seu potencial de investigação. Ele se juntou à Administração de Combate às Drogas como agente especial, onde posteriormente se tornou supervisor. Por fim, aposentou-se e agora mora no exterior.

Quanto a Chuck Howarth, o líder da Posse Comitatus, ele seguiu uma pitoresca trajetória depois do fim da minha investigação e da minha saída do departamento de polícia. Em maio de 1982, dois anos depois de eu ter deixado o departamento, fiquei sabendo de uma investigação envolvendo o DPCS que resultou na prisão de dez pessoas por supostamente venderem dinamite, cartuchos explosivos, detonadores, cabos de detonação e armas automáticas. Entre os detidos estava Chuck Howarth. Quando um mandado de busca foi cumprido em seu negócio, os investigadores encontraram trajes e publicações da KKK.

Um porta-voz da Polícia de Denver disse a um repórter que Howarth era o líder declarado dos United Klans of America (UKA) e, segundo sua própria admissão, detinha o título de Ciclope Exaltado. Será que se tivessem permitido que a minha investigação prosseguisse, poderíamos ter antecipado esse desenvolvimento e detido Howarth no início? Infelizmente, nunca saberemos a resposta. Ele foi condenado a dois anos de prisão por posse ilegal de explosivos e dispositivos incendiários. Ele já faleceu.

O DPCS, de fato, fez enormes progressos desde aquele dia em novembro de 1972, quando me perguntaram se eu poderia agir como Jackie Robinson e não revidar os ataques dos brancos do departamento que poderiam me menosprezar e diminuir. É um departamento muito melhor desde que a diversidade foi adotada em suas fileiras. Tenho orgulho de dizer que já usei o uniforme e o distintivo do Departamento de Polícia de Colorado Springs.

Após os eventos da investigação, o DPCS continuou a evoluir em sua aceitação dos negros em suas fileiras. Cerca de três meses após a minha admissão como cadete da polícia, um técnico de TI negro foi contratado, seguido por quatro policiais negros alguns meses depois. Um deles, Robert Sapp, tornou-se o primeiro sargento negro da história do departamento. Cerca de um ano depois de me tornar cadete, o departamento admitiu sua primeira cadete negra. Mais tarde, ela se juntou às fileiras de oficiais de polícia, mas não foi a primeira mulher a alcançar essa posição.

Em números gradualmente crescentes, os negros foram incluídos nos quadros de policiais do DPCS durante o meu tempo na ativa. Um deles, Fletcher Howard, foi promovido a comandante em 2008, o terceiro posto mais alto do departamento. Aposentou-se em 2016 após 38 anos de serviço. Um artigo do *Gazette* sobre a contratação de minorias no DPCS, datado de 28 de março de 2016, citou as seguintes estatísticas sobre a admissão de policiais negros:

1 tenente (sexo feminino)
4 sargentos
25 policiais

Não há mais necessidade de agir como Jackie Robinson.

Hoje em dia, aqueles que estão familiarizados com a minha história muitas vezes me perguntam se existe paralelo entre os tempos atuais e a minha investigação secreta de quarenta anos antes. Minha resposta é sempre a mesma: um retumbante e inequívoco "sim"!

O discurso intolerante e repleto de ódio e o propósito terrorista dos pensadores da supremacia branca como David Duke, Fred Wilkens e Ken O'Dell estavam de acordo com o longo arco geracional da Ku Klux Klan desde a sua fundação, logo após a Guerra Civil Americana. Vemos e ouvimos ecos desse mesmo discurso e propósito no clima político de hoje. Em agosto de 2017, em Charlottesville, na Virgínia, nacionalistas brancos se reuniram para a manifestação Unite the Right. David Duke estava presente, e um manifestante foi assassinado quando um supremacista branco da direita alternativa avançou com o carro sobre a multidão. Uma tragédia, e o paralelo direto com as minhas próprias experiências com a Klan e David Duke nos anos 1970 é bem evidente.

Ken O'Dell certa vez comentou comigo que a Klan iria montar sua própria patrulha de fronteira para vigiar os "chicanos" que cruzavam a fronteira do Rio Grande até El Paso, no Texas. Ele disse que a Klan estaria armada com rifles e tentaria atirar nos "chicanos" para impedi-los de entrar nos Estados Unidos. Essas palavras de O'Dell ecoavam uma declaração de 1977 do Grande Mago David Duke no jornal da Klan, *The Crusader*: "Temos absoluta convicção de que os brancos estão se tornando cidadãos de segunda classe neste país... Quando penso nos Estados Unidos, penso em um país branco". Duke prosseguiu, explicando que mil membros da Klan patrulhariam as estradas vicinais e as travessias noturnas de "imigrantes ilegais" vindos do México para os Estados Unidos ao longo da fronteira de San Ysidro, na Califórnia. Esses sentimentos e ideias correm paralelamente ao mantra da campanha presidencial de Donald Trump de construir "[...] um grande muro por toda a extensão da fronteira mexicana, para impedir a entrada de seus estupradores e traficantes de drogas".

A política nacionalista branca e nativista que vemos hoje foi inicialmente pensada e aplicada por David Duke durante seu auge como Grande Mago, na época da minha investigação secreta da Klan. Esse ódio nunca desapareceu, e foi revigorado nos cantos escuros da internet, pelos *trolls* do Twitter, em publicações da direita alternativa e por um presidente nativista na figura de Trump.

Embora o Partido Republicano do século XIX, sendo o partido de Lincoln, estivesse em oposição à ascensão da Ku Klux Klan e à dominação da supremacia branca no que diz respeito aos escravos negros da América recém-libertos, acredito que se verifica uma conexão simbiótica do Partido Republicano do século XXI com grupos nacionalistas brancos como a Klan, neonazistas, *skinheads*, milícias e o pensamento supremacista branco da direita alternativa. Evidências disso tiveram início no governo de Lyndon Johnson com a saída dos Democratas do Sul (os *dixiecrats*) para o Partido Republicano em protesto à sua agenda de direitos civis. Os republicanos começaram uma espiral descendente para a extrema direita, abraçando todas as coisas abomináveis para os não brancos.

David Duke por duas vezes concorreu a um cargo público na Louisiana como democrata e perdeu. Quando mudou sua afiliação para republicano, porque ele estava mais próximo em ideologia e pensamento racial do Partido Republicano do que do Democrata, e concorreu novamente para a Câmara dos Representantes da Louisiana, os eleitores conservadores em seu distrito o recompensaram com uma vitória. Em cada um dos casos, seu posicionamento sobre as questões permaneceu o mesmo: o apoio supremacista/etnonacionalista branco a um discurso centrado na raça e no populismo nativista. O que mudou foram os eleitores. Os democratas rejeitaram a política de Duke enquanto os republicanos a abraçaram.

Quanto às ações de protesto do PLP contra Duke e a Ku Klux Klan, esse segmento, também, está historicamente ligado às ações de protesto dos dias atuais dos chamados Antifa, antifascistas, comunistas radicais, socialistas e anarquistas. O PLP, como o Antifa, dedicava-se a combater o extremismo da ultradireita. Como o movimento Antifa, o PLP rejeitava a polícia e a autoridade do governo para manter o extremismo da ultradireita sob controle. Os dois acreditam que o governo, e em particular a polícia, ajudam e apoiam extremistas de ultradireita como a Ku Klux Klan e não são dignos de confiança de que agem em prol do povo porque seguem as regras estabelecidas na Constituição dos EUA. Nesse sentido, tanto o PLP quanto o Antifa acreditam que o confronto agressivo e, se necessário, físico, é apropriado, sem levar em conta as consequências. Nossa história está sempre em nosso presente.

Eu sei que, apesar das minhas diversas realizações na carreira, aquela que sempre irá empolgar e intrigar mais é a investigação da KKK e como eu consegui enganar o Grande Mago, David Duke, e seu grupo de seguidores. Ela me definiu de formas inimagináveis e sempre fascina aqueles que ouvem a sua história.

AGRADECIMENTOS

A o senhor Elroy Bode, meu professor de inglês do segundo ano na Austin High School em El Paso, no Texas (1969). Um autor publicado e premiado, o senhor Bode gentilmente concordou em "me levar de volta às aulas" e editar meu manuscrito.

Meu relacionamento com o senhor Bode fechou o seu ciclo quando retornei a El Paso em 2016, após uma ausência de 44 anos. Ele foi meu professor, tornou-se meu amigo e então assumiu a posição de mentor. As conversas com ele eram profundamente apreciadas. Eu sempre senti que estava de volta à escola, absorvendo a sabedoria de seus anos, em especial qualquer coisa relacionada à arte de escrever (foi ele quem me convenceu de que eu tinha um talento criativo com as palavras). Saía daqueles momentos estimados com um calor radiante no coração e pensamentos profundos para refletir. Minha alma sempre foi enriquecida por causa da honra e do privilégio que tive em compartilhar um breve episódio de vida com ele.

O senhor Bode, infelizmente, faleceu em 10 de setembro de 2017. Obrigado, senhor Bode (e à sua viúva, Phoebe), por me permitir compartilhar esses momentos "especiais" com você. Obrigado por sua gentileza, seu tempo e sua paciência comigo. Você foi e sempre será o meu "Professor".

Para a minha esposa, Patsy Terrazas-Stallworth, um muito amoroso obrigado. Após a perda de minha primeira esposa em 2004 para o câncer, passei um período de seis anos vagando por um deserto emocional. Em 10 de dezembro de 2010, Patsy voltou à minha vida.

Patsy e eu nos formamos na mesma escola secundária em 1971 e ambos tivemos o senhor Bode como professor no segundo ano, embora em aulas diferentes. Outra experiência comum que compartilhamos foi que o primeiro marido dela também havia morrido de câncer alguns meses antes. Ela morava em El Paso e eu morava em Utah, e conversamos ao telefone por mais de três horas naquele dia de dezembro. Desde então, passamos a conversar todos os dias, às vezes até por cinco horas seguidas, pelo menos duas vezes por dia, até o dia de nosso casamento, em 26 de maio de 2017. Os olhos dela foram os primeiros a ler meu manuscrito, e ela muitas vezes me ofereceu comentários pessoais que, em geral, eu incorporava. Ela tem sido minha rocha, minha maior defensora e, como sempre, minha "Sweet Girl".

Ao meu empresário, Andy Francis, uma mensagem muito especial. Nada disso teria sido possível sem a sua crença e confiança em mim.

Agradeço a Joel Gotler e Murray Weiss, do Intellectual Property Group, minha agência literária.

A James Melia, meu editor na Flatiron Books. Foi um prazer trabalhar com você neste projeto. Obrigado pela sua paciência comigo.

Um agradecimento especial a Pete Bollinger por acreditar na minha história desde a primeira vez que a ouviu e sentir que merecia um público maior.

Sou eternamente grato a Shaun Redick, Sean McCittrick e Ray Mansfield, da QC Entertainment, por acreditarem que a minha história era digna de ser levada para as telonas e por darem andamento a isso.

Por último, mas com certeza não menos importante, agradeço a Jordan Peele e Spike Lee, que ficaram sabendo da minha história e escolheram encará-la como um projeto criativo. Serei eternamente grato.

Ao escrever este livro, tomei como base minha própria memória e experiências para contar a minha investigação sobre a Klan e minha vivência como um jovem detetive em Colorado Springs. Também fui auxiliado na pesquisa e na escrita por outros livros que gostaria de registrar aqui: *Autobiografia de Malcolm X*, de Malcom X, contada a Alex Haley; *Criminal Justice in Action*, de Larry Gaines e Roger LeRoy Miller; *The Southern Poverty Law Center's Ku Klux Klan: A History of Racism and Violence*; *Days of Rage*, de Bryan Burrough; e *Hooded Empire: The Ku Klux Klan in Colorado*, de Robert Alan Goldberg.

Impresso por :

gráfica e editora
Tel.:11 2769-9056